JANE AVRIL

Du même auteur

Biographies

Isidore Ducasse, comte de Lautréamont, coll. Idées, Gallimard, 1975.
Christophe, Pierre Horay, 1981.
Raymond Roussel, Fayard, 1997.
Alphonse Allais, Fayard, 1997.
Le Pétomane au Moulin Rouge (Joseph Pujol), avec Jean Nohain, Mazarine/Fayard, 2000.
Feu Willy, le père de Claudine, nouvelle édition en préparation.
Le Café Concert, avec Alain Weill, nouvelle édition en préparation.

Dictionnaires

Dictionnaire du français argotique et populaire, Larousse, 2001.
Dictionnaire des gestes, en préparation.
Dictionnaire typographique, en préparation.

Bandes dessinées en prose

Nous deux mon chien, Pierre Horay, 1983.
La Compagnie des Zincs, Climats, 2000.
Catalogue d'autographes rares et curieux, Limon, 1998.
Le Porc, le coq et le serpent, Maurice Nadeau, 1999.
Quand j'étais petit, je n'étais pas grand, en préparation.

Bibliothèque Oulipienne

n° 37, 45, 54, 55, 60, 71, 96, 114.

François Caradec

Jane Avril

Au Moulin Rouge
avec Toulouse-Lautrec

Fayard

La Danse pour moi
résuma toute ma vie

Lettre à Léon-Paul Fargue.

J'ai lu pour la première fois les *Gestes et Opinions du Docteur Faustroll* l'année même où Jane Avril est morte à Paris.

A ce moment-là, je ne l'avais pas remarquée. C'est plus tard, en relisant et relisant *Faustroll*, que sa présence m'est apparue au côté de Toulouse-Lautrec.

L'an mille huit cent quatre-vingt dix-huit, le 4 juin, René-Isidore Panmuphle, huissier près le tribunal civil de la Seine, à la requête des propriétaires, saisit au domicile du docteur Faustroll les vingt-sept livres pairs de sa bibliothèque.

A ces œuvres maîtresses du Symbolisme, l'huissier joignait quatre gravures pendues au mur, et tout d'abord « une affiche de TOULOUSE-LAUTREC, *Jane Avril* », datant de 1893 : la danseuse mélancolique aux bas noirs en robe jaune et rouge.

Les femmes qui apparaissent avec tant d'éclat dans l'œuvre de Jarry ne sont pas si nombreuses. Sa misogynie ne tolère que des exceptions : ce n'est pas seulement au peintre, à « celui qui affiche », comme il est dit, que Jarry rend hommage, c'est aussi à la danseuse du Moulin Rouge qu'il a connue lors des répétitions et de la représentation de *Peer Gynt* au théâtre de l'Œuvre en 1896, quelques jours seulement avant la première d'*Ubu Roi* : il tenait le rôle du Vieux de Dovre, roi des Trolls, tandis que Jane Avril, dans le rôle d'Anitra, dansait sur la musique de Grieg.

Jane Avril... Parmi les chahuteuses et les gambilleuses du quadrille du Moulin Rouge des années 1890 – la Goulue, Grille-d'Egout, la Môme Fromage, Nini-Patte-en-l'air, Sauterelle ou la Macarona, Jane Avril est bien la seule à ne pas être affublée d'un sobriquet ridicule et à porter un nom qui convient si bien à son charme, à sa fraîcheur et à sa gaieté, à sa joie de vivre et d'aimer, même si le surnom « La Mélinite » que lui donnent parfois Charles Zidler, Toulouse-Lautrec et Alphonse Allais, traduit aussi sa frénésie, sa véritable folie de la danse.

Malgré l'éclat de ce nom (elle le doit à un poète anglais), sans les affiches et les toiles de Toulouse-Lautrec elle serait aujourd'hui bien oubliée. Et si nous avons souvent pris l'habitude d'associer l'artiste et son modèle, la complicité de la jeune danseuse et du peintre aux jambes atrophiées devait alors bien surprendre ceux qui les rencontraient sur les trottoirs de Montmartre.

Rares sont les femmes de son temps qui ont pu se vanter d'avoir été à la fois les modèles de Toulouse-Lautrec, d'Auguste Renoir, de Jacques-Emile

Blanche, de Théophile Steinlen, de Louis Anquetin, de Grün, de Grass-Mick et de Maurice Biais, son mari, et d'avoir inspiré des écrivains aussi divers que Maurice Barrès, Teodor de Wyzewa, Alphonse Allais, Willy et Armory, sans compter les poètes, qui ne furent pas toujours les meilleurs, de Catulle Mendès à Raoul Ponchon, et d'autres encore, inconnus ou méconnus.

On se contentait jusqu'à présent des renseignements vagues et parfois douteux qu'elle-même avait donnés. C'est en écrivant la biographie d'Alphonse Allais, qu'elle faillit épouser, que je m'aperçus que personne ne semblait vraiment s'être soucié de sa vie, de son véritable nom, ni même du lieu de son décès.

D'Alfred Jarry à Alphonse Allais, quand je sus que Jane Avril, fillette de Belleville, s'appelait tout simplement Jeanne Beaudon, la boucle fut bouclée.

De Belleville à la Salpêtrière

Jeanne Louise Beaudon est née le 9 juin 1868 à cinq heures du soir, au cœur du village de Belleville, rattaché à la ville de Paris depuis cinq ans à peine, au n° 146 de la rue de Paris (devenue rue de Belleville à Paris). Le village de Belleville est situé sur un plateau élevé et cette rue qui le relie à Paris présente une pente si forte qu'en 1891, on installa un funiculaire reliant le boulevard de Belleville au parvis de l'église Saint-Jean-Baptiste où la petite Jeanne, née presque en face, fut sans doute baptisée.

Beaudon est un nom bien français. La mère de Jeanne, Léontine Clarisse Beaudon, âgée de vingt-quatre ans, se dit « modiste »; mais elle n'est pas mariée et c'est sous son nom, et non celui du père, que la naissance est déclarée. Catherine Verret, femme Stavaux, âgée de cinquante-et-un ans, sage-femme, a procédé chez elle à l'accouchement. Les témoins sont tous deux des ouvriers métallurgistes spécialisés dans la fabrication du carrelet, du tiers-point, de la queue-de-rat, de la plate-à-main et de la feuille de sauge : François Braise, trente-trois ans, fabricant de limes, domicilié à la même adresse, et Jacques Désiré Aubreton, vingt-sept ans, tailleur de limes, 36 rue de Meaux.

> « Ma mère, écrit Jane Avril, Parisienne fort jolie, fut très brillante et très fêtée sous le Second Empire.
>
> Mon père, Italien de grande race, le marquis Luigi de Font, menait à Paris la vie "à grandes guides". Il y était venu du reste pour y faire la fête et devait s'y ruiner.
>
> C'était un homme d'une grande distinction, raffiné, artiste, d'une extrême sensibilité et de belles manières, qui avait fui le rigorisme austère d'une pieuse famille très en faveur au Vatican, où elle comptait de solides attaches. »

Il était né à Trente, et sa famille se serait fixée à Rovereto. Dans aucune de ces villes on ne connaît pourtant de marquis de Font, mais seulement des de Fant, et ce sont des paysans. Il est vrai qu'il y a toujours eu des propriétaires terriens assez riches et assez ouverts pour envoyer leur fils jeter sa gourme à Paris, la ville de toutes les perditions.

C'est certainement à son père que Jane Avril doit sa distinction naturelle, le visage long et mince et les yeux verts au fond des orbites sombres qui lui donnent ce regard mélancolique et troublant. Certains ont prétendu qu'elle était anglaise, irlandaise, ou encore une jeune institutrice saisie par la débauche et tombée dans la canaille du chahut. Fille d'un marquis italien, ça a tout de même une autre allure ! Mais, avec sa manie agaçante de dissimuler les noms de famille, y compris la sienne, Jane Avril a-t-elle dit la vérité ? Son père est italien, sûrement ; marquis, j'en doute ; de Font, peut-être ?

Quant à Léontine, elle se fait appeler Elise, comtesse de Font, et fait broder les initiales « E. de F. » sur sa lingerie.

Venue de sa province (mais je n'ai pas retrouvé trace de sa naissance à Etampes : encore une cachotterie de sa fille qui la prétendait née Richepin...) pour exercer à Paris chez une tante le métier de brodeuse appris chez les sœurs, elle s'enfuit assez vite de l'atelier avec un cadet de Saint-Cyr. Elle rencontre au bal du Ranelagh, en 1866, le bel Italien qui l'installe dans un appartement, la couvre de robes et de bijoux. La mamma italienne apprend les frasques de son fils, et, folle de rage, elle rappelle l'imprudent auprès d'elle : il est convenu que l'accouchement se fera dans la plus grande discrétion, dans un quartier lointain, et qu'on éloignera l'enfant.

Quand Luigi revient d'Italie, la petite Jeanne a été placée dans une pouponnière et le père peut reprendre la vie commune avec la mère sans s'occuper de la fille. Malheureusement, l'idylle de la belle Elise et du noble Luigi ne peut durer : Elise est une garce, coléreuse et dépensière, qui va jusqu'à frapper son amant ; excédé, Luigi finit par la quitter.

Privée des ressources des terres italiennes, Léontine Beaudon reprend son métier de modiste galante et, par économie, confie la petite Jeanne à ses propres parents, à Etampes, à la veille de la guerre de 1870. Paris assiégé est bientôt encerclé et la petite maison à tuiles grises en partie réquisitionnée par des officiers allemands. Les Prussiens barbus rient en faisant sauter la fillette sur leurs genoux et lui apprennent à dire le « ou » germanique, eux qui ont tant de mal à prononcer le « u » français. La grand-mère toute menue bougonne derrière leur dos et Jeanne leur répète naïvement ce qu'elle entend : « Tous les Prussiens sont des cochons » – ce qui redouble leurs rires.

Il y a tout de même une compensation à cette réquisition : grâce aux occupants, la petite Jeanne et ses grands-parents ne souffrent pas trop des restrictions alimentaires.

Jeanne a cinq ans. C'est une enfant précoce et elle est mise en pension dans une des institutions religieuses de la ville. Elle porte une petite robe en cachemire brun, se souvient-elle; elle a envie d'apprendre, vite, à lire et à écrire; elle prend ses premières leçons rudimentaires de musique; elle est heureuse, choyée par les sœurs, jusqu'à sa neuvième année, en 1877, quand sa grand-mère meurt brusquement à la suite d'un refroidissement; le grand-père se couche et meurt à son tour huit jours plus tard.

La maison et les meubles sont vendus. Elise prend sa fille auprès d'elle. Rue Caumartin d'abord, où elle est entretenue assez modestement par un député, puis rue des Saints-Pères. La mère interroge les tarots et le marc de café qui entretiennent sa manie de la persécution et sa folie des grandeurs. Elle marche dans l'appartement pendant des heures en parlant toute seule, et ne s'arrête que pour insulter et frapper Jeanne dont le corps est couvert de bleus. A trente-quatre ans, elle a déjà beaucoup vieilli, son corps s'est empâté, ses cheveux commencent à blanchir; et la boisson n'arrange rien. Peu à peu, elle doit se séparer de tout ce qui pouvait lui rappeler son luxe passé, ainsi que de ses bijoux, pour se résigner à accepter des travaux de lingerie et de broderie. Jeanne s'occupe du ménage et des commissions, allume le feu, fait la cuisine. C'est une enfant chétive qui, à dix ans, les paraît à peine.

On croirait lire le chapitre le plus noir d'un roman naturaliste de l'époque et l'on n'aurait pas tort : toute sa vie, Jane Avril entretint la haine de sa mère, et, devenue vieille, sa voix tremblait encore au souvenir de cette folle. Mais les pires situations dramatiques sont traversées par un être bon au milieu des méchants : c'est un ancien amant d'Elise, un certain Monsieur Hutt... (pourquoi pas ?) qui apporte le montant du loyer et, durant un an, celui des cours que la petite Jeanne suit à la pension des Demoiselles Désir, 39, rue Jacob, fondée en 1858 par Adeline Désir pour les jeunes filles de bonne famille; la pension est alors dirigée par Mesdemoiselles Berthe et Irène Désir. « N'oublie jamais que tu es la fille d'un marquis », lui recommande sa mère. Ce sera une année de bonheur.

Les pieuses demoiselles gâtent cette petite fille si douée qu'elle apprend sans le moindre effort, quitte à oublier aussi vite ce qui ne l'intéresse pas. Hors de portée de sa mère, Jeanne est gaie et enjouée; jusqu'au jour où la directrice, la voyant arriver un matin les yeux gonflés de larmes, parvient à la confesser et apprend les misères que lui inflige sa mère. C'est le moment que choisit celle-ci pour faire annoncer par sa fille aux Demoiselles Désir qu'elle ne peut plus continuer à payer la pension; la directrice décide alors de garder Jeanne gratuitement jusqu'à sa première communion, en lui recommandant de prier Dieu de bien vouloir guérir et convertir sa maman.

Malgré le zèle qu'elle apporte à ses prières, suppliant Dieu qu'Il lui accorde au moins de croire en Lui, la grâce ne vient pas... et ne viendra jamais : Jeanne finit par admettre qu'elle doit être damnée, et, sagement, renonce à sauver sa mère.

Jeanne quitte les Demoiselles Désir, le vieux M. Cassou, son professeur de danse, et ses petites amies en 1881; elle a treize ans, elle est toujours aussi frêle, et de petites crises nerveuses commencent parfois à se manifester chez elle. Comme tout le monde s'accordait à lui reconnaître une jolie voix quand elle chantait les cantiques chez les Demoiselles Désir, sa mère ne trouve rien de mieux que de l'envoyer quêter dans les cours de quartiers éloignés où Jeanne chante des romances à la mode, à faire pleurer un veau :

Au fond de cette sombre tour
Où je languis sans espérance,
Je songe à mes premiers beaux jours
Et je regrette mon enfance...

Jeanne n'a rien à regretter. Et, lasse de souffrir sans pouvoir être consolée, elle s'enfuit.

C'est sa première fugue; elle erre toute la journée, sans but, au Jardin des Plantes; et, la nuit venue, longe la Seine jusqu'au quai Voltaire où habite M. Hutt... Celui-ci est marié, père d'un petit garçon, et sa femme n'ignore rien de la situation de Jeanne. Ils appellent un médecin qui ne peut que constater l'état de malnutrition dans lequel se trouve la jeune fille; ils la couchent et lui promettent de la cacher si sa mère venait la réclamer.

Mais ses crises nerveuses deviennent de plus en plus fréquentes. Convulsions brèves, mouvements involontaires. Jeanne est atteinte de chorée, autrement dit de la danse de Saint-Guy. Ce n'est peut-être pas bien grave à son âge, et un ami de la famille, le docteur Magnan, qui est aliéniste, se charge de faire admettre Jeanne à la Salpêtrière, dans le service du professeur Charcot, 2e division, 3e section, le 28 décembre 1882. Elle va y rester un an et demi.

Jeanne Beaudon n'a que quatorze ans et on ne sait pas pour quelle raison elle se trouve placée chez les femmes, parmi les « épileptiques simples et hystériques », c'est-à-dire non démentes, qui sont les vedettes de la Salpêtrière. C'est alors l'« Hospice de la vieillesse, Femmes », comparable à Bicêtre pour les hommes. On y a d'abord admis les femmes âgées indigentes, puis les aliénées. L'hospice offre environ 4500 lits ; c'est une ville dans la ville, « avec, écrit Jules Claretie en 1881, sa population tragique, douloureuse, ses six mille âmes respirant dans cet amas de murailles, comme à l'ombre de ce dôme noir d'ardoises qui est l'église ; – au bout des grandes cours où, sur les bancs de bois, ruminent misérablement leur existence ces pauvres vieilles bouffies ou ratatinées par l'âge ; – là-bas, après avoir longé ces parterres de fleurs, touffus de lilas au printemps, mélancoliques à l'automne ; – au bout des arcades successives qui s'ouvrent, l'une après l'autre, sur des cours nouvelles, cour Sainte-Claire, rue Saint-Félix, et dont chacune est comme le promenoir des maux ambulants, de vieillesses lentement traînées, de décrépitudes inconscientes, on arrive, en dépassant la large rue de la Cuisine », au quartier des maladies nerveuses, de l'épilepsie et de l'hystérie. Charcot en est le chef de service depuis vingt ans ; c'est un homme de cinquante-sept ans, il a encore dix années à vivre.

La chanson des internes de la Salpêtrière décrit bien la population de l'hospice, sa faune et sa flore :

Des tas d'hystériques,
Des amyotrophiques,
Des vertiges de Ménière,
Des scléroses en plaques
Remplissent les barques
De la Salpêtrière.

A peine échappée aux coups de sa mère, Jeanne découvre la vie. Quelle vie !... Mais pour elle, c'est un « Eden ». Elle a quinze ans, elle est heureuse, et elle observe avec malice ce curieux monde.

> « D'abord il y avait ces folles filles dont la maladie dénommée Hystérie consistait surtout à la simuler...
>
> Qu'elles se donnaient de peine afin d'attirer sur elles l'attention et conquérir la "vedette" ! C'était à celle qui trouverait du nouveau afin d'éclipser ses semblables, lorsqu'autour de leur lit un nombreux groupe d'élèves que précédait Charcot suivait avec intérêt leurs extravagantes contorsions, "arcs de cercle", acrobaties variées et autres gymnastiques... »

Au même moment, Léon Daudet observe ailleurs les patientes du docteur Jules Luys :

> « Il hébergeait à la Charité toutes les simulatrices nerveuses de Paris, des femmes rouées, débauchées jusqu'à l'os et quelquefois jolies, habituées des services hospitaliers, rompues aux comédies de la fausse attaque, du songe éveillé, de la suggestion [...]. Une de ces filles nous disait : "J'sais plus quand c'est blague, j'sais plus quand c'est vrai, tellement que vous me faites pivoter." Au milieu de ces farces énormes et souvent visibles à l'œil nu, le papa Luys demeurait imperturbable. Elles confirmaient ses thèses favorites, c'était l'important. Afin de s'attacher

ses sujets, il leur passait toutes leurs fantaisies, les laissait transformer leurs lits d'hôpital en boudoirs surchargés de faveurs, de guirlandes, de fanfreluches, de peinturlurages, leur achetait du parfum, du linge fin, des gourmandises. Je laisse à penser la vie que menaient ces petites Parigotes quand le patron n'était pas là. »

Si l'on en croit Jeanne, ce qui se passait à la Salpêtrière ne valait guère mieux qu'à la Charité :

> « De ma mince personne elles n'avaient nulle méfiance – je tirais si peu à conséquences ! –, aussi n'hésitèrent-elles point à me mettre dans ce qu'elles appelaient "le secret".
>
> Elles me faisaient leurs recommandations : "Lorsque tu verras arriver untel, ne manque pas de venir près de mon lit et de m'appuyer très fort sur les ovaires." »

Il était entendu que cette simple application des mains devait suffire à interrompre momentanément la crise, permettant à la « malade » – en recouvrant ses esprits – de s'entretenir avec l'Elu du moment.

La pression sur les ovaires était devenue un sport que pratiquait aussi bien l'interne ou l'assistant, à la demande du patron, pour mettre fin à la crise. Quelqu'un avait même inventé un appareil de torture à cet usage, moins fatigant à manœuvrer.

Les rencontres de ces dames les obligeaient parfois d'aller accoucher discrètement à l'extérieur, mais elles revenaient toujours, dit Jeanne, « telles de pauvres brebis égarées heureuses de réintégrer le bercail. »

On pouvait assister à la Salpêtrière aux fameuses leçons du mardi dans la mise en scène représentée sur le célèbre tableau de Louis Brouillet, *Une leçon clinique à la Salpêtrière*, exposé au Salon à Paris au printemps 1887. Jeanne l'a-t-elle vu ? Elle aura pu alors y reconnaître dans l'assistance bien des figures de connaissance, et, entre Charcot et Babinski, l'hystérique du jour, Blanche Wittmann, renommée pour la qualité de ses crises, qui plus tard fera carrière à la blanchisserie de l'hospice. Elle y aura vu aussi la Surveillante, Mademoiselle Bottard, surnommée Bobotte, dont la Légion d'Honneur couronnera la carrière.

> « C'était un spectacle comique pour moi que de voir ces toquées s'en revenir si fières et ravies d'avoir été choisies et distinguées par le "maître" !
>
> Dans ma petite jugeote, je m'étonnais chaque fois que d'aussi éminents savants puissent être dupés de la sorte, quand moi, si minime pourtant, je connaissais leurs comédies !
>
> Je me suis laissé dire depuis que le grand Charcot ne les ignorait pas... »

Les pensionnaires de Charcot sont logées dans la grande salle Duchesne de Boulogne, au rez-de-chaussée; aux étages supérieurs, le menu fretin des épileptiques, moins esthétiques. Celles-là se contentent d'avoir des crises foudroyantes, elles tombent.

Beaucoup de ces femmes ont été placées là dans leur jeunesse et elles ont perdu peu à peu la raison.

« De pauvres vieilles choses, vraiment ! J'en revois un trio sur un banc de pierre, assises immuables, telles des Parques. » Et telles que Jules Claretie les a vues dans un sonnet intitulé (coïncidence...) *Avril à l'hôpital* :

> *On rencontre partout, à la Salpêtrière,*
> *Sur les bancs du jardin embaumé de lilas,*
> *Ou le long des murs gris, chauffant leurs membres las,*
> *Des vieilles marmotant une vague prière.*

Jeanne les regarde autrement :

> « L'une, grande, majestueuse, pâle et tragique, aux cheveux de neige coupés drus en brosse, surnommée "La Place Maubert", qui, lorsqu'on l'interpellait, se levait, effrayante, étendait ses longs bras menaçants et criait d'une voix caverneuse : "La Place Maubert, je la respecte, et vous, je vous emmerde !"
>
> La seconde, appelée "Petit Corps", qui, un jour que je l'avais taquinée (l'enfance est inconsciente et sans pitié), m'emporta dans ses bras où je crus mourir de peur. »

Elle nous parle aussi de la Durand, affreuse naine qui réclame sans cesse du papier pour en faire des confettis, et de la Perdrix, une robuste gaillarde qui arpente la cour en marmonant et tricotant, tricotant et marmonant, sautant les caniveaux à pieds joints, s'accrochant à tous ceux qu'elle rencontre pour bredouiller ses récriminations, puis, soudain, retrousse ses jupes et s'enfuit en montrant son cul.

C'est avec elle que Sarah Bernhardt, venue s'inspirer d'une folle authentique pour la création d'un de ses rôles, tenta d'échanger quelques mots. Ce fut un grand moment d'intense rigolade dont on se souvint longtemps à la Salpêtrière.

Jeanne suit des cours que des instituteurs viennent donner dans l'enceinte de l'hospice : histoire, géographie, maths, grammaire, mais aussi des rudiments de danse classique. C'est là que Jeanne, mince et souple, fait ses premiers pas ; ce furent même, à l'en croire, les seuls cours de danse qu'elle suivit jamais.

Pour se rendre au gymnase, il faut traverser de nombreux pavillons « abritant des folles de toutes catégories. Des bavardes, des instables, des joyeuses, des inquiètes ». L'une, avec sa valise, demande l'heure des trains ; l'autre essaie de vous vendre des cailloux. D'autres encore sont recluses derrière des grilles : des agitées, des brutes, mais aussi des criminelles en observation. Jeanne rencontrera l'une d'elles, quelques années plus tard, au promenoir des Folies-Bergère où elle lui paraîtra encore bien dangereuse... Comme elle l'écrit elle-même, la petite Jeanne bien sage au milieu de cette volée d'hystériques est devenue, pour les surveillantes, « l'enfant de la maison. » Quand les « grandes » la prient de chanter ses romances, sa voix est si jolie que dans le laboratoire voisin où ils travaillent, les internes se taisent pour l'écouter.

En deux années, elle a le temps de rencontrer une foule de médecins – Poirier, Joseph Babinski, Gilbert Ballet, P. Richer, P. Marie, Voisin, Gilles de la Tourette, et Vigouroux et Londe qui appliquent les premiers traitements à l'électricité.

> « J'ai gardé du temps passé dans cet établissement un souvenir mélancolique et doux. »

Pourtant, elle doit y subir encore les tourments de sa mère. A peine admise à l'hospice, elle apprend que celle-ci va venir lui rendre visite. Jeanne en a si peur qu'elle profite d'un moment d'inattention des surveillantes pour franchir la grande porte – celle qu'on appelle ici la Porte des Champs. Ses bienfaiteurs, en la voyant arriver quai Voltaire, tentent de la raisonner et la font reconduire par la bonne. Le lendemain, dans le parloir de Mlle Bottard, la pauvre mère fond en larmes en racontant qu'elle s'est sacrifiée pour Jeanne, et piapiapia..., à la suite de quoi elle est aurorisée à venir voir chaque semaine son petit monstre. Elles passent ensemble l'heure de visite dans les jardins, mais Jeanne en revient dans un tel état d'angoisse qu'il est décidé que les visites auront lieu au parloir : on alléguera qu'elle est privée de sortie. Mais, comme son état nerveux ne s'améliore pas, c'est Charcot lui-même qui l'interroge et découvre sur son corps les traces de coups et de meurtrissures que lui fait sa mère. Jeanne le supplie de ne plus autoriser les visites. A compter de ce jour, on surveille les deux femmes de si près que l'état de Jeanne s'améliore.

En 1933, elle note avec un brin de préciosité : « Parmi ceux qui jadis m'ont un peu remarquée, d'aucuns me qualifièrent d'"Etrange Jane Avril". » Non pas seulement étrange : ils l'ont tout simplement surnommée Jane la Folle ! Elle attribue cette étrangeté aux années passées avec sa mère ; les médecins, eux, l'ont peut-être vue un peu différemment. A propos de la « grande névrose », Charcot décrit ainsi l'évolution habituelle de l'hystérie chez une jeune fille de dix-sept ou dix-huit ans :

> « Si vous êtes son médecin de famille, vous avez pu observer le début et la progression de cette hystérie ovarienne qui est souvent annoncée par des symptômes préliminaires [...]. La patiente est une petite fille vive, aux yeux brillants, très intelligente – en un mot, un petit phénomène ; et ses parents sont fiers d'elle. Les choses suivent un cours assez tranquille jusqu'à la puberté. Puis, l'enfant devient bizarre, se met à avoir des idées curieuses. Elle est tour à tour exagérément triste ou joyeuse. Puis, un jour, elle pousse un cri, tombe à terre, et présente tous les symptômes d'une crise d'hystéro-épilepsie. Elle adopte les positions les plus variées, parle d'animaux fantastiques, prononce des mots qui ne conviennent ni à son âge ni à son niveau social [...]. Certains médecins pensent que les phénomènes de l'hystérie ne sont que simagrées. Il n'en est pas ainsi. Mais vous ne devez jamais oublier, cependant, que c'est une caractéristique

des sujets hystériques d'exagérer leurs troubles, et qu'ils ont d'autant plus tendance à le faire qu'ils se sentent observés et admirés. »

Il est aussi convenu que l'hystérie est une maladie de la femme, et l'on s'accorde facilement à associer l'hystérie aux excès sexuels. Les « hystériques » ont d'ailleurs bonne réputation sur le marché de la prostitution : « ... Tu verras, j'ai été hystérique pendant cinq ans ! » promet une fille au passant qu'elle racole, dans un dessin de H.G. Ibels paru dans *l'Escarmouche* en 1893.

Déjà, certains considèrent que les « exhibitions » publiques de « femmes hystériques déshabillées » à la Salpêtrière passent les bornes de l'impudeur, et les adversaires de l'hypnotisme se déchaînent. Il faut lire ce que Maupassant écrit dans *Gil Blas* du 16 août 1882, quatre mois avant que la petite Jeanne Beaudon entre à l'hospice : « Le docteur Charcot, ce grand prêtre de l'hystérie, cet éleveur d'hystériques en chambre, entretenant à grands frais dans son établissement modèle de la Salpêtrière un peuple de femmes nerveuses auxquelles il inocule [?] la folie et dont il fait, en peu de temps, des démoniaques... » Or, si Charcot porte un intérêt à l'hypnotisme, c'est dans l'étude de l'hystérie, non dans son traitement, et il mène lui-même campagne contre l'amateurisme des hypnotiseurs. Quant à Berthe de Courrières, cette cinglée, amie de Remy de Gourmont, la « Vieille Dame » d'Alfred Jarry, qui a le sens de l'opportunité et voit en Charcot, qui vient de mourir, une réincarnation des sadiques qui ont traversé l'histoire, elle publie à son sujet quelques pages violentes dans le *Mercure de France*, en 1893, sous le titre : *Néron, prince de la Science*...

Jeanne se soucie peu de ces querelles qui la dépassent. Son seul souvenir de cette époque est celui du bal costumé et masqué de la mi-carême de 1884, organisé dans un des pavillons d'un aliéniste, le docteur Voisin, et auquel participent internes et internées. Jeanne est travestie en « Descente de la Courtille ». C'est un costume que lui a prêté Jeanne Charcot, la fille du patron, qui a trois ans de plus qu'elle, ce qui montre la chaleureuse sympathie dont jouit Jeanne à la Salpêtrière. La Descente de la Courtille, ce carnaval échevelé dont les chars dévalaient la rue de Berville jusqu'à la Courtille, autrement dit les Porcherons, un ensemble de tavernes et de guinguettes situées au bas de la côte, naguère hors des limites de l'Octroi – le Bœuf rouge, le Coq hardi, le Sauvage, l'Epée de Bois... – est depuis longtemps passée de mode à l'époque où Jeanne endosse le costume de « débardeur » que Gavarni et Grévin ont souvent dessiné : chemise d'homme à manches roulées, large ceinture rouge sur culotte courte ou pantalon bouffant, petit chapeau à plume. La blouse de Jeanne, serrée à la taille et garnie de manchettes de dentelles, est moins rudimentaire; elle porte une jupe de satin jaune, plus décente qu'un pantalon, et, sur ses cheveux bouclés, un petit chapeau de paille. Son visage est à demi dissimulé par un loup.

C'est son premier bal. Elle danse la polka avec un chevalier moyenâgeux, et découvre avec surprise, lorsqu'il se démasque, que c'est un des carabins qu'elle préfère, celui qui lui a offert son premier bouquet de muguet du 1er mai.

Mais, soudain, aux premières mesures d'une valse, elle se sent soulevée, entraînée, emportée par la danse, seule au milieu des danseurs qui s'écartent pour laisser place à ce tourbillon ; saisie par la grâce, elle glisse sur les trois temps de la valse, et ne s'arrête qu'avec l'orchestre, émue, confuse, sous les applaudissements, les félicitations. Jeanne vient de découvrir la danse qui est en elle, et en même temps son premier succès. Elle l'écrira beaucoup plus tard à Léon-Paul Fargue : « La Danse pour moi résuma toute ma vie ».

Ce Bal des Folles à la Salpêtrière fait beaucoup jaser. André de Lorde et Charles Foleÿ feront jouer en 1909 au théâtre du Grand Guignol *Un Concert chez les fous*, drame en deux actes au cours duquel le docteur Mozard explique à un journaliste qu'il organise une grande fête tous les ans, moins pour les fous, d'ailleurs, que pour des invités triés sur le volet. « C'est, dit-il, de la bonne réclame. » Quant au traitement :

> « – Mon traitement est simple : je ne les contrarie pas.
>
> – Oui... qu'est-ce que vous leur faites ?

– Je ne leur fais rien. Les fous, c'est comme les enfants, moins on s'occupe d'eux, mieux ça vaut.

– ... Alors votre traitement... en somme ?

– Je n'en ai pas ! J'en ai eu, j'y ai renoncé. J'agis avec les fous comme avec ceux qui ne le sont pas... ou qui le sont sans qu'on le sache... car, au fond, nous le sommes tous plus ou moins. Nous avons tous un grain. Les guignards, on les enferme. Les veinards, on les laisse circuler ! C'est une affaire de chance. »

« Hélas ! soupire Jane Avril, je fus guérie. » Elle sort de la Salpêtrière le 11 juillet 1884. La seule séquelle de sa maladie nerveuse est un curieux froncement des narines qui fait frissonner son nez comme celui d'un lapin.

En présence de Charcot, le directeur, Lebas, prévient sa mère que si Jeanne subit à nouveau ses mauvais traitements, il l'autorise à revenir à la Salpêtrière où elle suivra les cours de l'Ecole d'infirmières laïques créée en 1878, malgré les réticences du Conseil municipal, pour remplacer les religieuses.

A peine est-elle sortie de la Salpêtrière que sa mère recommence à la brutaliser et cherche à lui faire comprendre que les vieux messieurs sont prêts à couvrir d'or les jeunes femmes qui veulent bien se laisser embrasser. Elise a fini par retrouver l'adresse de son père, qui est encore à Paris et ne s'est pas marié. Elle emmène chez lui sa fille pour le harceler de demandes d'argent. Luigi de Font, grand homme froid au visage pâle, aux yeux verts enfoncés dans les orbites, ne semble pas faire attention à Jeanne, qui doit attendre dans un salon assombri par les tapisseries et les tableaux. Le vieux secrétaire du marquis, Pouffard, la guide dans la maison et lui montre les vitrines, les gravures, la collection de miniatures, un tableau d'Andrea del Sarto, de petites toiles flamandes... On perçoit des éclats de voix à travers les murs, jusqu'à ce que cède le noble italien.

Parfois, sa mère envoie Jeanne porter seule une lettre à son père. Elle l'appelle « Monsieur », il lui donne une pichenette amicale sur la joue, tous deux sont aussi embarrassés l'un que l'autre de la comédie qu'on leur fait jouer.

Mais Luigi de Font est ruiné. Jeanne arrive un jour au moment où les huissiers ont envahi la maison. Sa santé ne résiste pas au désastre; il est frappé d'une congestion cérébrale dont il sort paralysé. Il retourne à Rovereto, où sa mère est décédée, et y meurt quelques mois plus tard. Elise ne veut pas le croire et sa folie de la persécution la mène à penser qu'il est toujours vivant et qu'il conspire pour enlever sa fille.

Jeanne n'en peut plus. Lasse d'être battue, insultée, et d'être poussée maintenant à se prostituer, elle s'enfuit une nouvelle fois de chez elle. Mais cette fois est bien la dernière. Elle ne reviendra pas. Et jamais plus elle ne reverra sa mère.

Le Bal Bullier

Jeanne se souvient de l'adresse d'un gentil interne qu'elle a connu à la Salpêtrière. Que ce soit au n° 27 de la rue Gay-Lussac et qu'il s'appelle Julien Lecœur est certainement faux. Tout ce qu'on sait, c'est que la petite Jeanne a confiance en lui et se laisse séduire. Il lui déclame du Musset, lui promet de l'installer dans un magasin de mode, il lui achète une jolie robe en popeline rouge, noire et bleue avec un gros nœud dans le dos, une petite veste en laine bordée de fourrure, un petit chapeau de velours à ruban. Il lui offre aussi un petit cœur à porter au cou, et lui glisse une bague au doigt. Ils vont s'asseoir auprès de la fontaine Médicis, au jardin du Luxembourg, elle goûte à l'absinthe à la terrasse du café d'Harcourt, boulevard Saint-Michel, à l'angle de la place de la Sorbonne; ils font des excursions dans les gros arbres de Robinson, au bord du lac de Ville d'Avray, dans les allées du château de Versailles.

Ce que Julien lui demande en échange sous les draps ne l'enchante guère, mais, que voulez-vous, il est si gentil, si tendre, et il y prend tellement de plaisir... Mars, avril, mai : trois mois de bonheur. L'idylle cesse brusquement quand, un soir, en rentrant dans la mansarde de la rue Gay-Lussac, elle rencontre sur le palier une jeune femme portant un bébé, qui a précédé Jeanne dans le lit de Julien et revient prendre la place qui lui est due. Jeanne ne s'embarrasse pas des explications de Julien, elle laisse la place à sa rivale, lui abandonne sa breloque et sa bague. « Jusqu'à mon chapeau neuf ! » se souvient-elle encore cinquante ans plus tard...

La petite Jeanne est bouleversée : elle se souviendra toujours de son premier amour. Il commence à faire nuit et elle a faim. Elle est bien décidée à se jeter dans la Seine, mais, en passant devant la facade éclairée du théâtre de l'Odéon, elle décide d'y dépenser ses derniers sous. Du poulailler, elle assiste à une pièce d'André Theuriet et Lyon, jouée au cours de l'année 1885, *La Maison des deux Barbeaux* (dont elle n'aperçoit que les deux crânes chauves). Trois actes ! Elle s'enfuit au premier entracte. Dans la rue de Médicis déserte, un ivrogne entreprenant commence à la peloter, elle s'enfuit en courant boulevard Saint-Michel et, apercevant, au coin de la rue Cujas, devant le café Rive Gauche (où sont nés les Hydropathes), à quelques pas du Tir Cujas (le renommé Tir-Cu), un groupe de prostituées « en carte » qui attendent le client de passage, elle les supplie de l'aider à se débarrasser du poivrot.

– Où vas-tu ? lui demande la plus forte, qu'on appelle la Grande Marcelle. Il t'a plaquée, je parie ?

Quand Jeanne lui dit qu'elle n'a rien mangé et qu'elle va se jeter dans la Seine, la Grande Marcelle lui prend le bras, la fait traverser le boulevard et entrer dans le café qui fait le coin de la rue Monsieur-le-Prince. Après qu'elle a dévoré deux œufs-plat, la Grande Marcelle la conduit dans un hôtel voisin. C'est dans la salle à manger d'un des nombreux hôtels de passe de la rue Monsieur-le-Prince qu'elle se retrouve le lendemain matin au milieu de jeunes femmes aussi surprises qu'elle de la trouver là. Elles lui apprennent que sa protectrice n'est pas une pensionnaire, mais que la « Grande Marcelle à l'œil de verre » vient régulièrement rencontrer ici de fidèles amateurs – car c'est ce qu'il est convenu d'appeler une « spécialiste » –, et, parmi eux, le poète du *Jardin des Rêves*, Laurent Tailhade, le futur pamphlétaire d'*Au Pays du Mufle*.

Ces jeunes femmes ont toutes un ami de cœur qui les entretient, mais elles sont assez libres. Le jeudi soir, elles entraînent Jeanne au bal Bullier, au carrefour de l'Observatoire.

L'entrée du bal Bullier s'ouvre alors au n° 33 de l'avenue de l'Observatoire, à l'emplacement de l'actuel centre universitaire Jean Sarrailh, en face de la statue du Maréchal Ney qui règle avec son sabre la sortie du bal depuis 1853, et de l'amas de crocodiles, de fesses et de serpents érigé en l'honneur de

Francis Garnier au milieu du carrefour, en 1898 seulement.

Le porche est couronné d'un soleil, avant d'être surmonté en 1900 d'étudiants « chahuteurs » en ronde bosse peinte. Lorsque Jeanne découvre le bal, le père Théodore Bullier l'a cédé en 1883 aux frères Moreau, qui n'ont rien modifié et se sont contentés, ce qui n'est pas si mal, d'y installer la lumière électrique.

Après avoir franchi le vestiaire, un vaste escalier descend vers le bal, salle spacieuse un peu basse où des colonnes rectangulaires, rejointes par des arceaux porteurs de globes, forment des allées. Près du buste de Bullier le fondateur, se tient l'orchestre dirigé par Léon O'Connor; il donne à la foule ses airs favoris : *La Polka des volontaires* ou *Le Petit Vin de Bordeaux*, dont les refrains sont repris en chœur. Seuls dansent les « calicots » et les petites bonnes du quartier. Les étudiants s'installent sur la galerie, ornée d'ogives et garnie de tables, qui surplombe la salle sur trois côtés. Il boivent des menthes vertes, auxquelles ils attribuent des vertus aphrodisiaques, en compagnie de filles de brasserie. La cloison qui, pendant l'hiver, sépare la salle de bal du « jardin » est enlevée dès les premiers beaux jours; on dispose alors des tables sous les marronniers illuminés.

Le bal Bullier est ouvert trois jours par semaine, le samedi, le dimanche, et en semaine le jeudi, jour « chic », celui des étudiants et des filles faciles. De janvier à Pâques, bal de nuit tous les samedis jusqu'à l'aube. Les autres jours, fermeture à minuit. La foule des étudiants et des filles descend le boulevard Saint-Michel en chahutant ; on soupe au restaurant Boulant.

Des gardes municipaux sont en principe chargés de veiller à la décence des danseuses. Mais ils sont vite dépassés par les événements.

C'est Amanda, la cocotte,
Qui, tous les soirs chez Bullier,
Danse le pas singulier
Du « Homard qu'on asticote ! »

(Chanson d'Octave Pradels, 1887.)

On ne fait pas que danser, à Bullier. Au bal, ce qui attire les hommes, ce sont les femmes beaucoup plus que la musique ! C'est pourquoi l'entrée est gratuite pour les dames, avec ou sans cavalier.

Jeanne n'a besoin de personne. Saisie par la musique endiablée, malgré sa timidité et sa pudeur, elle bondit et se lance comme une folle, incapable de résister à cet instinct de la danse, et tourne, tourne sur les airs de valse.

L'orchestre alors, dans une valse entraînante,
Me donnant le frisson
Emportait ma raison...
Et malgré moi je me sentais toute tremblante...
De plaisir et de peur
Bien fort battait mon cœur.

(Chanson d'A. Jouberti, *Une idylle à Bullier.*)

Quand cesse la musique et qu'elle s'arrête au milieu de la salle, les applaudissements éclatent :

cette fois, Jeanne comprend qu'elle a trouvé sa vocation de danseuse et que ce sera sa raison de vivre.

Désormais, elle passe ses après-midi dans les jardins du Luxembourg avec la joyeuse bande de ses nouvelles amies et revient tous les soirs d'ouverture au bal Bullier, souvent seule. Mais il faut songer à vivre, à manger, à payer sa pension. Que faire ? « A mon tour, moi aussi, je trouvai des amis, que j'appelais des "protecteurs" parce qu'au nom de l'art ils m'octroyaient de quoi régler mes dépenses. »

Jeanne a vite fait d'accommoder la question de son entretien par les hommes. Elle sait pourtant fort bien que ses soi-disant protecteurs sont en bon français des « michés », mais elle parvient à tenir l'équilibre entre la vie tarifée de sa propre mère et les instants de plaisir qu'elle ne refuse et ne se refuse pas. Ses amies, et parmi elles des prostituées comme la Grande Marcelle, sont surtout des filles de brasserie, serveuses montantes à l'occasion, mais aussi de petites ouvrières, blanchisseuses et repasseuses, des fleuristes, des modistes, toutes plus ou moins chahuteuses et figurantes de bals, trop jeunes pour penser à autre chose qu'aux plaisirs de la danse à Bullier, des terrasses de cafés, des allées du Luxembourg, des beuglants du Quartier latin, l'hiver, ou, l'été, de la pointe du Vert Galant (c'est un café-concert), des balades en bateau-mouche avec arrêts dans les guinguettes du Point-du-Jour et de la Grenouillère. Elles cèdent parfois pour remercier un garçon qui leur a payé une friture au bord de l'eau. Cela finit tantôt bien, par un enfant et le mariage, tantôt mal, par la vérole, Saint-Lazare, la mise en carte par les services de la Préfecture. A chacune sa chance. Peut-être aussi, à une époque où elle n'a d'autre choix que le mariage, est-ce, pour une jeune femme insouciante, une façon de revendiquer un droit à la liberté et au plaisir que, de Mimi Pinson à nos jours, la morale bourgeoise lui interdit.

Jeanne devient une des filles les plus connues du quartier Latin. Sa fragilité de femme-enfant contraste pourtant avec les canons de beauté de l'époque, mais son charme est irrésistible. Et peu importe ce qu'on pense : tous les soirs, elle danse !

Au bal Bullier, elle remarque l'intérêt que lui porte un jeune Anglais, grand, blond, aux yeux gris-bleu, qui est venu vivre à Paris après un début d'études au New College d'Oxford dont il a été renvoyé dès la première année, faute de pouvoir payer ses dettes. Robert Sherard vient de publier un roman et un recueil de poèmes à voix basse, *Whispers*, qu'il a dédié à Oscar Wilde. Robert Harborough Sherard, fils d'un pasteur anglican du nom de Kennedy, est l'arrière-petit-fils du poète William Wordsworth. Léon Daudet trouve qu'il ressemble « en blond à Bonaparte jeune »; Oscar Wilde, qu'il a « la tête d'un empereur romain de la décadence (...) une tête retrouvée frappée sur une fausse pièce. » C'est un personnage obtus, imbu de lui-même, mécontent de tout et de tous, quémandant des photographies, des autographes, des lettres de sympathie qu'il publiera plus tard. Il réussit ainsi à devenir un familier d'Alphonse Daudet et naturellement d'Oscar Wilde sur lequel il écrira quatre volumes de souvenirs. On connaît de lui un ou deux mots plus ou moins drôles. A propos de Stanley, l'explorateur : « Je n'aime pas qu'on tue, même des nègres ». Ou, par provocation : « Je ne suis jamais allé au Louvre. Quand j'entends mentionner ce nom, je pense toujours aux Grands Magasins du Louvre, où l'on trouve les cravates les moins chères de Paris ». Et, pour un Anglais, il a une étrange passion, celle de la Révolution française, au point de dater ses lettres d'après le calendrier républicain...

Il a sept ans de plus que Jeanne, qu'il séduit en l'appelant « Fil de soie ». Il « m'aimait – oserai-je dire – avec "religiosité" », dit-elle. Est-elle alors surprise de le voir embrasser Oscar Wilde sur la bouche ? Il la protège, l'oblige à se soigner, satisfait ses caprices les plus saugrenus, mais – surtout – il l'appelle « Jane » et lui chante la sérénade composée par Massenet pour Zanetto dans *Le Passant* de François Coppée :

Mignonne, voici l'avril !
Le soleil revient d'exil;
Tous les nids sont en querelles.
L'air est pur, le ciel léger,
Et partout on voit neiger
Des plumes de tourterelles.

(*Le Passant* a été représenté une première fois à l'Odéon le 14 janvier 1869 avec une mélodie d'Ancessy; reprise à la Comédie Française le 29 novembre 1888 avec la romance de Jules Massenet).

Jeanne Beaudon est devenue Jane Avril.

Elle quitte Robert Sherard pour se donner toute à la danse, mais cela ne l'empêche pas de tomber dans les bras d'« un des grands privilégiés de la fortune » qui veut la faire entrer à l'Opéra. Elle refuse par goût de la liberté... en regrettant de changer encore de « protecteur » :

> « La nécessité de faire face à mes dépenses m'obligea parfois de chercher fortune. Je dois du reste avouer que j'y suis fort maladroite. Je m'efforçais donc de choisir au mieux parmi mes soupirants et, comme pour rien au monde je n'aurais osé aborder la pénible question monétaire, il advint que je fus abusée. »

Est-elle à ce point naïve ou se moque-t-elle de nous ?

> « O jeunesse ! O candeur ! Bonne fille que j'étais ! L'on m'eût fort étonnée en m'apprenant que je menais une vie en marge des lois établies de la morale des hommes ! »

En effet, la prostitution n'est pas bien loin.

Elle passe ses journées dans les cafés du boulevard Saint-Michel, aujourd'hui transformés en boîtes à bouffe-rapide. Elle les fréquente tous, y compris les brasseries de femmes que Maurice Barrès célèbre dans une plaquette *(Le Quartier latin*, 1888) :

« ... De tous les cafés, la brasserie de femmes est le seul admissible. Il faudra même honorer le louche industriel qui en conçut la théorie, car, d'un sensualisme délicat, elle repose uniquement sur ce principe : il est agréable de fumer son cigare en regardant rôder une créature qui a pour métier de plaire. [...] Et puis, c'est une loi mystérieuse de la nature, le bien-être physique, la quiétude de l'homme ne sont pas assurés si, de fois à autre, il ne respire pas et frôle une femme. »

Jane entre le plus souvent au café Vachette, à l'angle de la rue des Ecoles et du boulevard Saint-Michel (c'est devenu une banque). C'est là qu'elle rencontre ses nouveaux amis : Jean Moréas, Paul Fort, Léon Dierx, René Boyslève, Charles Le Goffic, Jean Guiffrey, Albéric Magnard, Villiers de l'Isle-Adam, Théodore de Banville, J.-K. Huÿsmans, Paul Bourget, Henri Bordeaux, Stéphane Mallarmé... Oscar Wilde ne dédaigne pas de s'y montrer accompagné de Sherard, et le Sar Péladan escorté de Stanislas de Guaita et de Jules Bois. Si ce n'était pas elle qui les cite, on pourrait croire que ces noms sortent d'une anthologie de la poésie française de la seconde moitié du XIXe siècle. Mais il y a aussi quelques inconnus comme ce « jeune poète en herbe », Paul Pattinger, dont elle tombe amoureuse et qui publie ses *Rêves de la vingtième année* à Besançon en 1888.

Sur une banquette du François Ier, elle aperçoit Paul Verlaine ; mais qui ne l'a pas vu au moins une fois, ici ou au Procope ? Elle rencontre aussi naturellement sur le Boul'Mich' Bibi-la-Purée, le bohème hirsute, et son contraire, Monsieur Parfait, vieux beau pommadé, impeccablement mis, précieux et affecté, qui trottine sur ses hauts talons en lorgnant les « jeunesses ».

Les silhouettes féminines des années 1880 sont assez gracieuses. Jane porte la « polonaise », une double jupe garnie entre deux d'un « strapontin », le petit coussin qui met les plis de l'étoffe en valeur et fait ressortir la finesse de la taille; et une petite cape qui ne dépasse pas la hauteur du coude. Elle pose sur ses cheveux relevés un tout petit chapeau perché.

C'est très vraisemblablement au mois d'octobre 1885 (ou 86) qu'en tournoyant toute seule dans le jardin de Bullier, elle rencontre un grand garçon à cheveux longs de vingt-trois ans, à l'air inspiré. Teodor de Wyzewa (Wyzewski) est né en Pologne, mais depuis l'âge de huit ans il vit en France où son père médecin est venu s'installer. « Son intelligence et sa culture étaient extraordinaires », dit Camille Mauclair. Et quand Mallarmé lui écrit, c'est en rappelant sur l'enveloppe sa réputation de brillant causeur :

Rue, au deux, des Dames.
Aucune
A son five o'clock ne rêva
Esprit si neuf et sans lacune
Que Teodor de Wyzewa.

Après une licence de philo à vingt ans, il est arrivé à Paris au cours de l'été 1883; répétiteur dans une institution privée, il vit si misérablement de leçons particulières qu'en 1884, il lui arrive de demander l'hospitalité à son ami Paul Adam, qui loge lui-même à l'hôtel. Il fait heureusement la connaissance d'Edouard Dujardin qui vient de reprendre la *Revue indépendante* (le premier numéro de la nouvelle série paraît en mai 1884) et crée la *Revue Wagnérienne* en février 1885 (jusqu'au 15 juillet 1888). Il va rapidement devenir le critique le plus remarqué du Symbolisme. En avril 1886, il fait à Berlin la connaissance de Jules Laforgue, qui va mourir l'année suivante et dont il sera le légataire.

Teodor et Jane ont raconté l'un et l'autre – lui dans un roman, *Valbert*, en 1893, elle quarante ans plus tard, dans ses *Mémoires* parus en 1933 – leur première rencontre au bal Bullier :

> « Je m'étais assis sur un banc du jardin. J'aperçus devant moi une créature extravagante qui, seule au milieu du sentier, dansait, ou plutôt tournait, tournait, seule, extravagante, enroulant autour d'elle, puis déroulant au vent une écharpe rouge. A peine l'avais-je aperçue que je me sentis trembler. Et longtemps je la contemplai sans distinguer ses traits, ni rien d'elle que ce tournoiement continu de sa forme sombre et de l'écharpe rouge.
>
> Le tournoiement s'arrêta. Je découvris alors que cette étrange danseuse était une fillette d'une quinzaine d'années, misérablement vêtue,

avec un chapeau de vieille femme qui lui cachait le visage. L'écharpe rouge se trouva être une façon de châle ou de cache-nez dont elle s'enveloppa les épaules sitôt la danse finie. Après quoi, elle me vit qui la regardais : elle me sourit, s'approcha de moi, me demanda de lui offrir un bock [...]. Belle, non certainement elle ne l'était pas; je dus le reconnaître une fois pour toutes dès l'instant d'après. Elle avait le visage et le corps d'une enfant, mais d'une pauvre enfant anémique, nourrie au hasard, trop tôt jetée dans la vie. Même elle aurait été laide sans le charme bizarre de ses deux petits yeux verts, relevés sur les tempes à la japonaise, et qui contrastaient par leur naïve gaîté avec le sourire vieillot de ses lèvres. Elle n'était pas intelligente non plus, ni adroite à son métier; car elle ne me dit rien pendant qu'elle restait assise près de moi, et les menus compliments que je lui adressai, elle ne parut point les comprendre. Elle avala d'un trait le bock que je lui avais fait servir, se tint un moment encore immobile, puis se leva de sa chaise et voulut me quitter. [...]

Elle eut un instant l'idée de se rasseoir près de moi; mais l'orchestre redoublait son tapage, et peut-être la singularité de mes compliments l'avait-elle effrayée. Du moins, avant de s'enfuir, elle me tendit sa maigre joue tout empâtée de carmin : "Embrassez-moi!" Je l'embrassai, et bientôt je la vis tourner, tourner, avec son écharpe autour d'elle; et je la vis ensuite assise à une autre table, buvant le bock que lui avait offert un autre amoureux.

Mais, à l'instant où j'allais sortir du bal, l'enfant m'aperçut, elle me sourit de ses petits yeux verts relevés à la japonaise. "Embrassez-moi!" me dit-elle en me tendant la joue. Je l'embrassai. »

Ses compliments ne l'ont pas effrayée, au contraire, car elle s'en souviendra toujours. D'une voix chaude et profonde, il la compare au *Serpent qui danse*, un serpent dans une prairie de flammes, et à des déesses inconnues de religions orientales.

Même quand elle marche on croirait qu'elle danse,
Comme ces longs serpents que les jongleurs sacrés
Au bout de leurs bâtons agitent en cadence.

Baudelaire.

« Elle éprouvait une besoin instinctif, irrésistible de s'étourdir en dansant. Elle qui tenait si peu au reste des choses, par ce seul point elle était du monde. Tous les soirs après dîner elle me demandait de la conduire à Bullier, et toujours je refusais, prétextant un mal de tête ou quelque besogne; et si vous aviez vu avec quelle douce moue résignée elle s'accommodait de mes refus! Mais je l'apercevais qui, dans ma chambre, tout à coup se levait, retroussait ses jupes, et tournait, tournait, se chantonnant à elle-même un rythme de valse ou de galop. C'est au sortir de ces crises qu'elle était le plus tendre pour moi. »

C'est une étrange amitié qui va lier Jane et Teodor d'une incompréhension réciproque. Ce que Wyzewa écrit à propos de la petite « Marie » (c'est le nom qu'il lui donne dans son roman *Valbert*) est confirmé par son *Journal intime,* et certains faits par Jane Avril elle-même.

> « Le matin elle dormait, enfouie sous les draps. Sans me soucier d'elle autrement, je me levais, je jouais des fugues de Bach et des sonates de Beethoven. Tout à coup, j'entendais de la chambre à coucher sa petite voix enrouée qui me criait : "Joue encore ce morceau !" C'étaient les finales des sonates qui lui plaisaient, avec leurs rythmes vifs ; mais elle me déclarait que le reste était très ennuyeux, les fugues en particulier [...].
>
> Et puis elle se levait, et je la laissais seule jusqu'au déjeuner après lui avoir donné quelques sous pour *faire son marché*. Elle aimait les épices, les salades, la viande de charcuterie. J'ai mangé aussi mal que possible pendant ces huit jours de notre vie en commun. »

Ce que lui reproche surtout Teodor de Wyzewa (il emploie dans son roman une expression plus dure qui souligne leur incompatibilité), c'est

« de vouloir toujours, dans l'après-midi, se promener avec moi, et de s'arrêter si longtemps aux devantures des boutiques, et de me demander à propos de chaque robe à l'étalage si cette robe lui irait bien, et de me proposer, lorsque je la menais au Luxembourg, de courir chacun d'un côté pour voir qui courrait le plus vite [...].

Ni la vie qu'elle menait, ni l'exemple de sa mère, ni le sang de sa mère, rien n'avait empêché la petite Marie de rester une enfant, avec toute la pureté et toute l'ingénuité et toute la fraîcheur d'une âme d'enfant. Elle n'aimait que jouer, courir, sauter, grimper aux arbres, habiller des poupées ou nourrir des oiseaux. Dès le lendemain de son arrivée chez moi, elle acheta des serins et posa la cage au milieu de la table, dans la salle à manger, pour jouir de ma joie quand je reviendrais. Elle s'amusait des moindres choses. Les plus misérables boutiques avaient pour elle un attrait mystérieux. Elle me forçait à quitter mon piano pour venir voir, de la fenêtre, la toilette comique d'une dame, ou la gentille allure d'un bébé. Elle causait aux chiens et aux chats, qui, d'ailleurs, l'adoraient d'instinct, tout de suite accouraient vers elle. Un jour que nous traversions les Tuileries, je dus assister, coup sur coup, à quatre séances de Guignol : elle aurait pleuré si je lui avais refusé ce plaisir [...].

Impossible d'imaginer une âme plus noble, plus désintéressée, plus dédaigneuse du monde.

Je vous ai déjà dit sa véracité : ce n'est pas qu'elle crût le mensonge immoral, ni qu'elle aimât la vérité ; mais la tromperie lui paraissait indigne d'elle, comme aussi l'extrême passion, l'attachement aux choses, et toutes les formes du vice. Jamais elle n'enviait rien aux femmes qu'elle rencontrait. Je ne crois pas qu'elle ait jamais eu conscience des misérables hardes qu'elle portait. Mais elle considérait les robes les plus élégantes comme encore au-dessous d'elle : elle en jugeait avec un goût sûr et léger dont la native finesse ne manquait pas de m'humilier.

Un jour, je la conduisis au musée du Louvre : là, du moins, je lui montrerais mon goût à moi. Mais non, c'est elle qui me montra son goût, comme toujours. Car elle était souvent allée au Louvre lorsque sa mère l'envoyait pour la chasse que vous savez. Elle avait choisi quelques tableaux, qu'elle fut enchantée de revoir. Elle ne s'inquiétait, en vérité, ni du nom des peintres, ni de leur pays ; mais elle se rappelait que dans tel tableau il y avait une belle robe de satin ; dans tel autre, un paysage calme et triste suivant son cœur ; ailleurs encore, un visage de femme si doux qu'elle en avait pleuré. En musique aussi, elle jugeait de suite ce qui était fait pour lui plaire [...].

Elle était fière ; elle ne savait ni pleurer, ni supplier, ni demander pardon. Toujours elle riait, mais il y avait sous son rire un flot profond de mélancolie; et peut-être n'était-elle si gaie que pour éviter de l'entendre couler. Elle ne se faisait aucune idée de la valeur de l'argent. Elle ne désirait rien; mais elle ne pouvait avoir vingt sous sans les dépenser aussitôt de la façon la plus folle. Car elle était aussi d'une bonté de princesse. Elle possédait un flair singulier pour découvrir partout les misères secrètes. A peine installée chez moi, elle connaissait déjà toute la vie de nos voisins. Elle avait notamment remarqué, dans la cour de la maison, une pauvre femme avec cinq enfants; et elle donnait à ces cinq enfants l'argent que je lui avais remis pour s'acheter un chapeau. »

Ils sont inséparables. Teodor entraîne Jane rue Blanche, au siège de la *Revue Wagnérienne* où il lui présente ses amis :

> « J'y assistais à des dissertations métaphysiques ou philosophiques auxquelles ma cervelle d'oiselle n'entendait goutte, non plus d'ailleurs qu'à la musique de Wagner. »

C'est là qu'un jour, en attendant Wyzewa, elle manque de se faire violer par un collaborateur de la revue, un « mufle complet » dont elle ne nous dit pas encore le nom, mais qu'elle retrouvera plus tard.

Teodor de Wyzewa fréquente surtout la brasserie Gambrinus, rue de Médicis, où se réunissent les Symbolistes. Ses amis intimes, avec lesquels d'ailleurs, successivement, il finira par se brouiller, sont

Maurice Barrès, Jacques-Emile Blanche, Edouard Dujardin, mais aussi Edouard Rod, Paul Adam, Gustave Kahn, le compositeur Albéric Magnard, Paul Bourget, Jean Lorrain. Il a été un moment le secrétaire du romancier Robert de Bonnières, grand amateur de Wagner, auquel Wyzewa dédiera son roman *Valbert* dont on vient de lire de larges extraits. Coïncidence : Robert de Bonnières publie en 1887 chez Ollendorf un « roman parisien », *Jeanne Avril*, sans qu'on sache s'il s'est inspiré du nom de Jane, qu'il connaissait, pour baptiser un roman dont l'intrigue et le personnage principal sont sans rapport avec elle. Il n'a pas manqué de théâtreuses et de danseuses, dans les cafés-concerts, pour porter ce nom, sans qu'il soit même nécessaire de rappeler la « Blanche Avril », danseuse aux Folies-Bergère, qui apparaît dans *Dinah Samuel*, le roman de Félicien Champsaur – mais, en 1882, trop tôt pour être confondue avec Jane.

L'ami de Teodor dont Jane se souviendra avec le plus de vivacité est Maurice Barrès. Né en 1862, comme Wyzewa, quand il arrive à Paris le jeune homme de vingt ans ne trouve personne qui veuille bien publier ses premiers écrits. Il crée donc sa propre revue mensuelle, *Taches d'encre*, qui aura quatre numéros en 1884. Jane :

> « Je me rappelle un soir où, sur le Boul'Mich', Maurice Barrès et moi mangions des oranges en attendant le retour de Wyzewa,

parti à la recherche d'un restaurateur à l'ardoise complaisante où nous dînerions tous les trois. »

C'est le père Laveur, rue Serpente, qui consent ce jour-là à leur faire crédit. Autre souvenir (que Wyzewa évoque aussi dans *Valbert*) : une escapade à trois à la foire de Saint-Cloud. Les jeunes gens chipent des poires dans un jardin, louent un canot, se régalent d'une friture de goujons et montent sur un manège de chevaux de bois. « En ce temps-là, écrit Jane, le « grand patriote » n'avait pas encore découvert le « jardin de Bérénice » pour y cultiver son « Moi » ! »

Qu'en sait-elle donc ? Il va écrire successivement trois romans : *Sous l'Œil des Barbares* (1888), *Un Homme libre* (1889) et *Le Jardin de Bérénice* (1891). Or, cette Bérénice, « Petite Secousse », n'est autre que Jane qui sera bientôt surnommée à son tour « la Mélinite »...

Depuis la petite prostituée de Thomas de Quincey, la femme-enfant, vicieuse et naïve, est entrée en littérature pour recueillir les rêveries mélancoliques et perverses des jeunes poètes. C'est bien sûr le *Livre de Monelle* de Marcel Schwob. C'est *La Femme-Enfant* de Catulle Mendès dont, écrit W.G.C. Byvanck, « la même fatalité a présidé à l'existence de l'héroïne de Maurice Barrès, Petite-Secousse du *Jardin de Bérénice*... Si l'on ne regarde que les grandes lignes de son histoire, on est frappé de l'analogie des circonstances au milieu desquelles ces deux personnes ont passé leur vie. »

Ce que dit Barrès :

« J'ai beaucoup connu et caressé une jeune femme nommée Bérénice [...] aux sentiments mélancoliques et fiévreux. [...] Il n'est pas un détail de la biographie de Bérénice – Petite-Secousse, comme on l'appelait à l'Eden [le théâtre où fut créé en 1887 *Lohengrin* de Richard Wagner, et qui finit en café-concert] – qui ne soit choquant; je n'en garde pourtant que des sensations très fines. Cette petite libertine, entrevue à une époque fort maussade de ma vie, m'a laissé une image tendre et élégante [...]. Elle eut plus de défaillances qu'aucune personne de son âge, mais elle y mit toujours des gestes tendres, et sur cette petite main, après tant de choses affreuses, je ne puis voir de péché. [...] Masque entêté de jeune reine aux cheveux plats ! Jamais on ne vit d'yeux si graves et ainsi faits pour distinguer ce qui perle d'amertume à la racine de tous les sentiments. [...]

Tu as des devoirs, Bérénice. Il ne suffit pas que tu sois une petite bête à la peau tiède, aux gestes fins, et une enfant qui se confesse avec naïveté : tu dois être mélancolique ».

Nous y voilà.

Jacques-Emile Blanche, riche héritier d'une dynastie de psychiatres mondains, portraitiste de la bourgeoisie, qui se plaint d'être considéré comme un amateur, lui prête le prénom de « Rosemary » dans son roman *Aymeris* (écrit en 1914, paru en 1922), ce qui ne l'éloigne guère de la « Marie » de *Valbert* :

> « Plutôt laide selon l'idéal parisien, elle avait un type de pauvresse irlandaise. Son masque ravagé, mais d'une blancheur laiteuse de rousse, était, je l'avoue, pictural. Ses lèvres pâles pinçaient une moue délicieusement ironique, quoique l'ironie fût bien le dernier de ses défauts. Ses cheveux roux et mats étaient tordus derrière elle en un *bun* de coster girl » [ou plus simplement un chignon].

On retrouve ici le caractère de Jane, « cette fille garçonnière et si féminine » :

> « Si je suis avec toi, c'est que j'ai à gagner mon pain, j'ai pas envie de me le procurer autrement qu'en posant, puisque je suis modèle. »

Naturellement, elle ne veut pas se marier :

> « Elle refuse tout de moi, se plaint son amant, ayant horreur de l'argent; je règle ses notes, mais elle exige que ce soit anonymement ! J'adresse le montant de sa semaine de pose à la poste restante. Du jour où elle m'eut accordé *quelque chose*, elle me défendit que je la payasse de la main à la main. »

Edouard Dujardin, né en 1861 comme Jacques-Emile Blanche, directeur de la *Revue indépendante* et de la *Revue Wagnérienne*, passe bien à tort, aux yeux de ses amis, pour jouir d'une certaine aisance.

Pensez donc : la revue paie ses collaborateurs ! Pas très cher, mais tout de même vingt ou vingt-cinq francs l'article – grâce à la mensualité de 200 francs que lui octroie sa famille et qu'Edouard Dujardin fait fructifier aux courses.

Curieusement, comme le fait remarquer Remy de Gourmont, ce mélomane, défenseur et propagateur de la musique wagnérienne, est un poète aphone. Même quand il fredonne une *Chanson* :

J'avais une chère amie;
Hélas ! elle est partie,

Un soir que les rossignols
Chantaient comme des fols

Elle a quitté la maison,
Et zon, zon, zon !

Comme on comprend cette chère amie !...

C'est une autre ou la même qui est l'héroïne de son roman de 1886-1887, *Les Lauriers sont coupés*, sans cesse réédité, et encore aujourd'hui dans une collection universitaire, pour d'étonnantes qualités (un style pointilliste et le monologue intérieur remarqué par Joyce). Léa est « une demoiselle de petit théâtre », âgée de « dix-neuf ans, vingt peut-être; elle déclare dix-huit; exquise fille », potelée, de larges hanches, une fiérote poitrine, bref, rien physiquement qui puisse la confondre avec Jane. C'est d'ailleurs le roman d'un jeune homme amoureux plutôt qu'un roman d'amour, et le cher objet en est interchangeable. Le titre de ce roman est cependant une invitation à « entrer dans la danse », ce qu'il ne manquera pas de faire, à Montmartre, lors des premiers succès de son théâtre : Toulouse-Lautrec le fera asseoir au côté de Jane Avril.

Au milieu de cette bande de jeunes gens dont elle est la benjamine (ils ont six ou sept ans de plus qu'elle), Jane est-elle encore vraiment une enfant à vingt ans ? Qu'ont-ils voulu voir en elle, ces jeunes poètes, de différent ou de secrètement désiré chez leur sœur, leur cousine et leur future épouse, vierges encore enfermées au couvent à l'âge où la petite Jeanne, échappée de l'hospice de la Salpêtrière (ce fut son couvent), court d'un lit à un autre entre deux valses au bal Bullier ? Ils doivent tout de même bien savoir que le quartier Latin voit accourir chaque année des fugeuses adolescentes. Irmine (avec un prénom pareil, il fallait s'attendre à tout), la fille du romancier Rosny aîné, âgée de quatorze ans, écrit avant de s'enfuir de chez son père un billet qui rappelle la dernière fugue de Jeanne : « Je ne veux plus être battue et je me sauve pour faire la noce. » Elle sera recueillie par Jean de Tinan (qui le racontera dans *Aimienne, ou le détournement de mineure*, en 1896), comme Jane Avril par Teodor de Wizewa.

Jane prétend qu'ils n'ont jamais fait l'amour. Teodor veut l'épouser, mais, fidèle à son exigence de liberté, Jane refuse. Pour respecter son indépendance, il lui propose alors de l'adopter... Jane éclate de rire. Elle trouve drôles ces propositions d'un garçon qu'elle admire, qui exerce sur elle un réel ascendant et une influence heureuse sur sa formation intellectuelle. « Valbert » se dit incompris de « Marie » :

> « Elle se refusait à faire semblant de m'aimer. Quand je l'embrassais [et Valbert connaît le sens des mots], elle ne paraissait y trouver d'autre plaisir que celui de me causer du plaisir. Je lui fournissais mille occasions de me témoigner une tendresse passionnée, et elle ne m'en témoignait point. »

Henry Bordeaux attribue l'échec de leur couple au caractère pusillanime et à la négligence d'hygiène corporelle de Teodor :

> « ... ses longs cheveux de pianiste, son aspect langoureux et néanmoins plein d'artifice, surtout le manque de soins de toute sa personne le devaient vouer à la déconfiture passionnelle. »

J.H. Rosny confirme :

> « Au physique, Wyzewa jouissait d'une face assez plate et d'un regard chafoin. Il se lavait économiquement. »

Leur séparation n'est certainement pas due à la seule délicatesse de Jane. C'est elle qui s'éloigne, contrairement à ce que voudrait nous faire croire le roman de Wyzewa (d'autant plus qu'il la retrouvera quelques années plus tard et fera tout pour la reprendre), mais c'est pour retourner au bal et à la danse.

D'ailleurs, Jane n'est pas seule. Elle a, comme elle dit, des « camarades » qui, comme elle, ne vivent que pour le plaisir. Avec l'une d'elles, Jane découvre d'autres lieux à la mode que ceux du quartier Latin. Les Folies Hippiques de la rue Rochechouart où, pour 50 centimes on peut faire à cheval plusieurs fois le tour du manège, ou se lancer sur la piste de patins à roulettes. Mais ce qui enthousiasme Jane, à défaut de l'Opéra, ce sont les ballets du gigantesque Eden-Théâtre, construit en style indo-égyptien (?) entre la rue Auber et la rue Caumartin, où une danseuse étoile, la Cornalba, triomphe en 1883 dans *Excelsior* (ballet de Luigi Manzotti, musique de R.Marenco, que Jane voit lors de sa reprise en 1889) et en 1885 dans *Messalina*. Et, surtout, c'est là que l'orchestre de Charles Lamoureux interprète pour la première fois en France *Lohengrin* de Richard Wagner, provoquant des scènes d'émeutes, sur les boulevards. L'Eden-Théâtre n'a vécu que dix ans; fermé en 1893, il est rapidement démoli.

La France vit alors en plein délire boulangiste. La popularité du ministre de la Guerre des années 1886-1887 est à son comble dans toutes les classes sociales, y compris et peut-être surtout chez les femmes (... qui ne votent pas !) :

Y'avait un' fois un général
Qui se tenait crân'ment à ch'val,
Et, messieurs, faut pas qu'ça vous vexe,
Gobé surtout par le beau sexe.
C'était un brave militaire
Qui brûlait de partir en guerre :

De lui tout l'monde était content,
Ça chiffonnait l'gouvernement.

(*Les Arrêts du Général*, chansonnette créée par Mlle Hélène Faure à l'Alcazar d'Hiver, paroles de Georges Baron, musique de Gérald-Vargues.)

Jane Avril, circulant en cabriolet, avait croisé le général à cheval et lui avait jeté le bouquet de violettes qu'elle portait au corsage. Le « brav' général » avait adroitement reçu le bouquet et fait un petit signe de la main à Jane.

Quand Boulanger s'enfuit le 1er avril 1889 rejoindre Madame de Bonnemains, le comte Arthur Dillon, son bras droit depuis 1886, qui assure la liaison entre monarchistes et boulangistes et gère les fonds, l'accompagne à Bruxelles. Son fils Pierre, « tendre camarade » de Jane, en profite pour transformer en lieu de plaisir l'hôtel particulier de ses parents à Neuilly, 6, boulevard d'Argenson (cette partie du boulevard a pris depuis le nom de Jean Mermoz). Jane ne se sent pas à l'aise dans le salon boulangiste tapissé d'œillets rouges, et profite de l'émotion causée par une hémorragie nasale du jeune Pierre pour ne plus remettre les pieds à Neuilly.

C'est un « grand et cher garçon », G. de Ch. (nom facile à identifier sur place), fils d'un planteur béké de la Martinique, qui prend sa succession à la fonction de « protecteur ». Mais c'est un amant jaloux, qui se moque de ses études à l'Ecole Centrale autant que des cannes à sucre paternelles ; il n'a qu'un seul but : arracher Jane à sa vie scandaleuse, ce qui provoque son indignation, car elle s'y trouve très bien. Jane ne pense qu'à la danse et refuse le mariage rédempteur qu'il exige. La situation devient telle que le père Ch. doit prendre le bateau pour ramener à la raison ce fils qui veut à tout prix épouser une danseuse ! Une croqueuse de sucre, sans doute. Jane promet tout ce qu'il veut à son jeune amant, et surtout de ne plus danser, de travailler « honnêtement » dans une maison de mode ou de couture. Et, fidèlement, déclinant durant trois mois (ce laps lui semble méritoire) « les offres les plus alléchantes » des candidats à sa protection, Jane va travailler :

> « J'étais fidèle à un souvenir et j'y eus bien quelque mérite, puisque celui qui en était l'objet n'en a jamais rien su ! »

Quelques années plus tard, on le retrouvera parmi les milliers de victimes de Saint-Pierre de la Martinique lors de l'éruption de la Montagne Pelée, le 8 mai 1902.

L'Exposition Universelle ouvre ses portes le 5 mai 1889. Jane a vingt-et-un ans et se fait engager en qualité de caissière dans un établissement de spectacle de cette « rue du Caire » qui provoque autant d'admiration que la tour de 300 mètres de Gustave Eiffel. Le public est nombreux à se présenter à la caisse pour avoir le privilège d'admirer les trémoussements de la belle Fatima dans ses danses du ventre, et au premier étage les Aïssaouas, cinq hommes originaires de Fez et insensibles à la douleur, qui avalent vipères, scorpions et verre pilé, dansent sur les braises et se percent la langue et le reste avec des sabres et des aiguilles à tricoter.

Jane en profite pour visiter les autres pavillons de l'Exposition, et naturellement les danseuses javanaises que lui présente René de Pont-Jest (elle remarque avec émotion une « véritable petite idole dorée »), et les Tsiganes du Café Roumain, pour la première fois en France; Jane y dîne un soir en musique en compagnie d'Henry Bordeaux.

Sans doute trop distraite, Jane ne surveille pas sa caisse d'assez près : elle constate que de l'argent y a été volé. Plutôt que de porter plainte, elle dépose dans son tiroir-caisse une boîte de pilules Géraudel purgatives : et elle s'estime satisfaite en découvrant, le lendemain matin, les visages blafards d'un gardien et d'un avaleur de sabre...

L'Exposition Universelle ferme ses portes. Jane, qui n'a que l'expérience des bidets de Robinson et des bourins des Folies Hippiques de la rue Rochechouart, réussit à se faire engager en qualité d'écuyère à l'Hippodrome de l'avenue de l'Alma (8 000 places) que dirige alors Jean-Léonard Houcke en même temps que le Nouveau Cirque de la rue Saint-Honoré. L'écurie compte cent chevaux et vingt éléphants. La séance publique dure habituellement quatre heures, avec deux entractes de trente minutes pour la visite des écuries et de la ménagerie. En première partie, les numéros de cirque, acrobaties, équilibres, trapèzes; en deuxième partie, grand spectacle équestre, très souvent avec courses de chars menés par de jolies filles; et, pour finir, grande parade historique.

Grâce au chef écuyer Lucotte (de Pau ?), Jane est bientôt admise à monter les chevaux de haies. Elle se souviendra longtemps qu'un après-midi, au cours des répétitions de « La Chasse », son cheval s'emballe et qu'on lui crie : « Sciez la gueule! Sciez la gueule, eh! vache... ». Jane scie tant qu'elle peut la bouche du cheval qui finit par s'arrêter après quelques tours de piste.

Le travail à cheval lui apporte un équilibre, des muscles, une souplesse nouvelle; mais cet intermède équestre ne plaît guère à Jane et elle cherche à revenir à la danse.

Fini, le quartier Latin et les poètes symbolistes! Elle fréquente maintenant les Champs-Elysées.

Et Montmartre.

Le Moulin Rouge

Une femme ne se hasarde pas seule sur le boulevard Rochechouart à la tombée de la nuit. Le bal de l'Elysée-Montmartre, naguère encore fréquenté par une clientèle élégante, est devenu un repaire de filles et de voyous dans un quartier si mal famé que le cabaret du Chat Noir, né au n° 89 du boulevard, l'a quitté en 1885 pour la rue Victor-Massé, toute proche mais plus sûre. Jane entre un soir à l'Elysée-Montmartre, accompagnée d'une amie. Ce qu'elle vient y chercher, c'est un spectacle, celui du « quadrille naturaliste » qui deviendra, dans les années 90, le clou du Moulin Rouge, mais qu'on pouvait applaudir déjà au cours de l'été 1886 sur la scène des Ambassadeurs, le grand café-concert des Champs-Elysées.

Elle retient surtout de sa visite à l'Elysée-Montmartre la silhouette du lugubre Père la Pudeur qui exerce sur les danseurs et les flâneurs une stricte censure des mœurs, dénichant dans les bosquets les couples trop immobiles pour être honnêtes, séparant les duos d'un même sexe, faisant couvrir les décolletés provocants, et refusant l'entrée aux filles trop court vêtues, avec l'approbation du sergent de ville qui veille à l'ordre et la sécurité.

Des danses à la mode, Jane connaît déjà la valse d'origine autrichienne que les salons ont adoptée depuis les années 1830, la polka et la mazurka du Second Empire, toutes les contredanses, tous les quadrilles, du quadrille des lanciers à la troïka russe en passant par la scottish (écossaise, bien sûr), la berline, le pas de quatre et les variantes que lancent périodiquement les « musicos », meneurs et coryphées de café-concert.

Ce fameux « quadrille naturaliste », qui prend ce nom lorsqu'il est dansé par deux couples de partenaires, hommes et femmes, est né du « cancan » dont Desrat, dans son *Dictionnaire de la Danse* en 1895, dit qu'il est « à la danse proprement dite ce que l'argot est à la langue française. » Il est apparu sous la Restauration et la Monarchie de Juillet dans les nombreux bals parisiens, le Prado, la Grande Chaumière, la Closerie des Lilas, le bal Vivienne, et, de Louis-Philippe au Second Empire, au bal Mabille. Le « cancan » reste le plus souvent associé aux opérettes de Jacques Offenbach qui ne l'a pourtant évoqué que dans *Croquefer*, une opérette-bouffe de 1857, et naturellement, au dernier acte d'*Orphée aux Enfers*, le « galop infernal » qu'il se garde bien de qualifier de « cancan ». Et personne n'hésite à voir dans « La Danse » de Carpeaux une exaltation du cancan sur la façade de l'Opéra.

Ce « french cancan », comme l'aurait baptisé Charles Morton, un entrepreneur de spectacles anglais, n'est pas à proprement parler une danse ni un air; c'est la dernière figure du quadrille, un galop très rapide que des adaptateurs habiles, comme Arban ou Métra, tirent des opérettes d'Offenbach.

> « La rage de l'orchestre annonce la fin du quadrille; sur les violons, les archets se précipitent et les doigts des musiciens mordent furieusement les cordes; les cuivres mugissent; une tempête se déchaîne, furieuse et assourdissante.
>
> Alors, la main dans la main de son cavalier, d'une allure ferme, égale et sûre, la danseuse commence, autour du cercle des spectateurs, une marche énervante, fantastique et folle. A chaque pas, son pied bondit vers le plafond, tandis que la tête, violemment rejetée en arrière, pend au bout du torse renversé en une profonde retraite du corps, assurant, par l'accord implacable des mouvements, un équilibre invraisemblable. Pendant plusieurs tours de piste, la surhumaine dislocation se répète avec une telle assurance que l'idée d'un danger ou d'une fatigue ne s'éveille point, les traits émaciés s'illuminent de la chimérique et bienfaisante extase des pythonisses et des Aissaouas. La course se précipite, la gorge se soulève, haletante, les bras sillonnent l'air, et, dans un dernier battement, le talon du pied voltigeur

retombe sur le parquet, s'allonge, file, glisse au loin, tirant la jambe et entraînant l'effondrement du bassin dont la chute écrase lourdement la meurtrissure du sexe collé au sol, entre l'écartellement d'un diabolique grand écart.

Et maintenant, accoudée sur son genou, gisant le menton dans la main, subitement calmée, la danseuse promène sur la foule émue la satisfaction tranquille de son impassible sourire. »

Cette chronique parue dans le supplément de *Gil Blas* du 10 mai 1891 ne recense pas toutes les figures dont l'inventaire se lit à la table des matières du *Cours de Danse fin-de-siècle* (Dentu, 1892) : brisement des cuisses à terre; brisement assis; le grand écart; brisement debout; la série; la guitare; le port d'armes; le croisement; la jambe derrière la tête... La brutalité de ces exercices de danse acrobatique dont les figures favorites sont le grand écart et le port d'armes, présente évidemment quelques dangers, les chutes ne sont pas rares, les accidents aussi; et l'on cite le cas de Demi-Siphon qui s'est tuée en faisant le grand écart...

Le « quadrille naturaliste » quitte l'Elysée-Montmartre pour le Moulin Rouge que Joseph Oller vient d'ouvrir le 5 octobre 1889 place Blanche (en réalité boulevard de Clichy), à l'emplacement d'un célèbre bal de barrière, le Bal de la Reine Blanche, qui a fermé ses portes en 1885. Il en confie la direction à Charles Zidler, grand bel homme au visage coloré encadré de favoris blancs.

Le Moulin Rouge n'est pas seulement un bal, c'est un véritable parc d'attractions. Une grande terrasse surplombe la salle, un vaste jardin où s'élève le grand moulin rouge sang visible du boulevard ; mais aussi une scène couverte où se donne un concert-spectacle tous les soirs, de 8 h 30 à 10 h, avant l'ouverture du bal ; un gigantesque éléphant rescapé de l'Exposition Universelle, qui vient de fermer, assez grand pour que s'y tienne une petite salle à laquelle on accède par un escalier en colimaçon dans l'une des pattes, où l'on offre des spectacles plus confidentiels (la danse du ventre, et le Pétomane pour lequel Jane Avril affiche le plus parfait mépris) ; une brasserie ; des chevaux de bois ; un stand de tir ; et les petits ânes qui font la course sur l'affiche de Jules Chéret.

L'inauguration est somptueuse. On y voit le prince de Sagan, Elie de Talleyrand, le prince Troubetzkoï, le comte de La Rochefoucauld. Des peintres et des écrivains distingués : Alfred Stevens, Gervex, Emile Zola...

Moulin Rouge,
Moulin Rouge,
Pour qui mouds-tu, Moulin Rouge ?
Pour la Mort ou pour l'Amour ?
Pour qui mouds-tu jusqu'au jour ?

(Maurice Boukay.)

Le « quadrille naturaliste », mené par la Goulue et Valentin-le-Désossé, est dansé par Nini-Patte-en-l'air, « affreux laideron appelée aussi “La Charbonnière” », la Môme Fromage, « petit gavroche pas mal voyou », La Sauterelle, « grande mince, sèche », dont les « pas savants qui martelaient le sol avec méthode, strictement en mesure », font l'admiration de Jane, Grille-d'Egout, Etoile Filante, Arc-en-ciel, Clair-de-Lune et Rayon d'Or, « une grande rousse à falbalas très allurale ». Il faut ajouter à ces pionnières la Macarona, « mal jambée en des pantalons de tulle noir à pastilles, fort indécente et sans grâce », Serpolette, Pigeonnette, Serpentine, Cascadeuse, Myosotis, Pâquerette, Camélia, la Môme Cricri, Eclipse, Risette, Cigale, Violette, Gigue, Gabrielle, la Japonaise, Diamant, la Clownesse Cha-hu-Kao et, naturellement, la Mélinite, puisque tel est le nom que Charles Zidler a donné à Jane Avril, un nom qu'elle n'aime pas du tout et niera même avoir porté, mais que lui donnaient aussi Toulouse-Lautrec et Alphonse Allais.

C'est un nom d'actualité. Après avoir cédé l'invention de son explosif au ministère de la Guerre, Eugène Turpin apprend que la France l'a revendue... à l'Angleterre. Il intente un procès, mais c'est lui qui est condamné à cinq ans de prison, en 1891, pour divulgation de secrets intéressant la Défense nationale.

Quelques autres encore, « aspirantes » ou au contraire décadentes, comme la Belle Chiquita, une « gommeuse » dépassée par ses jeunes camarades (mais Zidler déclare que ça importe peu tant qu'elle a de belles cuisses). Sans oublier « quelques pâles éphèbes » – Fil-de-Fer, Vif-Argent, Pomme d'Amour, – qui évoluent parmi les danseuses plus qu'ils ne mènent le quadrille. Il en faut pour tous les goûts.

La Goulue, Louise Weber, est l'aînée de Jane de deux années à peine. C'est une « chahuteuse » professionnelle dont la vulgarité naturelle est tempérée par son entrain et sa vivacité. « Elle bornait son talent, écrit Jane Avril, à lever ses jambes parfaites avec tant de désinvolture et de galbe qu'elle n'arrivait pas à être indécente. » Mais sa danse est une provocation : elle termine le cancan en soulevant ses jupes et en montrant aux mateurs amateurs... le cœur brodé sur sa culotte. Fière de son corps et de ses fesses, elle pose nue et demi-nue devant les photographes.

Elle prétend gagner 800 francs par mois au Moulin Rouge, mais, d'après son contrat, il faut plutôt croire 500 ou 600 francs (et l'on apprend par la même occasion qu'elle demeure 27, rue des Martyrs), et elle les mérite car elle est la vedette incontestée du bal du Moulin Rouge. Le quadrille qu'elle danse rompt avec la tradition. C'est la femme, ce n'est plus le cavalier qui mène : à la liberté et à la sensibilité de la danseuse il oppose le détachement, le flegme et la froideur. Valentin-le-Désossé, dont Toulouse-Lautrec saisit la funèbre attitude sur l'affiche du Moulin Rouge, est devenu le faire-valoir de la Goulue.

Jacques Renaudin n'est pourtant pas un débutant. Il a dépassé la quarantaine et, depuis 1860, il a dansé dans tous les bals parisiens, des plus populaires aux plus chics, du Moulin de la Galette au Château des Fleurs, à Mabille, au Casino Cadet, et il n'est pas peu fier d'avoir été surnommé le Désossé par Mermeix dans le journal *La France*. Quand il danse au Moulin Rouge avec la Goulue, il fait l'admiration de Jules Lemaître dans *L'Echo de Paris* :

> « Ce sont deux grands artistes. Elle tourne, que dis-je ? elle tourbillonne autour de lui avec une rapidité si vertigineuse – et si aisée; il la soutient, il la guide dans un caprice de pas sans cesse rompus et entre-croisés, avec une si impeccable sûreté; l'harmonie de leurs mouvements est si parfaite que, si vous espérez jamais voir une grâce plus précise unie à une force plus souple..., inutile de chercher, vous ne trouverez pas. »

Francis Jourdain (*Né en 76*, tel est le titre de son premier volume de souvenirs) n'est pas du tout de cet avis :

> « ... il faut en convenir, la Goulue n'était pas particulièrement distinguée. Il n'en allait pas de même de Jane Avril – *la Mélinite* – dont l'étrange et aristocratique masque pâle, l'œil intelligent, parfois nuancé de tristesse, les jambes spirituelles avaient enchanté Lautrec.

Confondre la Môme Fromage et ses collègues avec Jane Avril, ce serait – soit dit sans offenser personne – mélanger serviettes et torchons. Je ne songe certes pas à reprocher aux vieux messieurs d'alors le plaisir qu'ils prenaient à apercevoir, entre le pantalon et le bas de la Goulue un peu de chair nue, mais l'agrément que nous procurait l'art de Jane Avril était d'une qualité plus rare. On peut, sans manquer au respect dû à la mémoire de Grille-d'Egout, lui reconnaître quelque vulgarité ! Jane Avril était bien différente. Les reines du quadrille gambillaient, Jane Avril dansait. En elle vivait cet instinct grâce à quoi la danse perd son caractère abstrait pour devenir un langage, cesse d'être un art purement décoratif pour prendre un accent humain ; l'arabesque tracée dans l'espace par une jambe inspirée n'est plus un signe vain, c'est une écriture. La Mélinite s'exprimait avec ses jambes, Lautrec ne s'y trompa pas. Je ne suis pas sûr qu'il ait jamais pris pleine conscience de ce qui déterminait ses préférences, mais je sais quel goût ce réaliste, fermé à toute abstraction, avait des formes explicables, c'est-à-dire expressives parce que raisonnables. »

Et Paul Leclerq, un ami de Lautrec :

« Au milieu de la foule, un remous se faisait, une haie se formait : Jane Avril dansait, tournait, gracieuse, un peu folle, pâle, amaigrie, racée...

elle tournait, détournait, sans poids, nourrie de fleurs : Lautrec clamait son admiration. »

Gabriel Astruc écrit :

> « Sylphide étrange, toujours solitaire, sorte d'échassier qui restait en équilibre sur une jambe et balançait l'autre comme un membre isolé de son corps... »

C'est grâce à Zidler, qui l'a connue à l'Hyppodrome de l'Alma, que Jane Avril est accueillie au Moulin Rouge. « Le Quadrille fut un accessoire, écrit-elle à Léon-Paul Fargue, et j'évoluais à part, sans partager les fréquentations des Goulues ou Rayon d'Or d'alors. » Et elle écrit dans ses *Mémoires* :

> « Les jupons des danseuses, larges de douze mètres de tour, étaient faits, ainsi que les pantalons, d'entre-deux et de mousseuses dentelles; les bas noirs, au milieu de ces neigeuses blancheurs, faisaient mieux valoir la forme des jambes.
>
> Moi seule étais autorisée à porter mes dessous de soie et mousselines dont j'assortissais les couleurs à celles de mes toilettes, tout en gardant moi aussi les bas noirs.
>
> Le quadrille consistait en plusieurs figures d'ensemble, sauf la dernière, dans laquelle chaque danseuse, à tour de rôle, pendant son "cavalier seul", donnait libre cours à sa fantaise personnelle en même temps qu'elle avait repéré le

spectateur qu'elle "décoifferait" en terminant sa danse, lui faisant, d'un pied leste et adroit, voler son chapeau à la grande hilarité de l'assistance ! »

Ell' danse bien mieux qu'au grand opéra
Car c'est un' ballerin' de la haute-école,
Elle a pris des l'çons de Mariquita,
Ell' fait tout c'qu'ell' veut avec ses guibolles.
Et quand elle esquiss' le Pas du Lancier,
L'soir au Moulin Roug' si je la r'garde faire,
D'un coup de chausson qu'ell' me flanqu' dans l'nez
Ell' m'envoi'rouler sur mes hémisphères !

(*Cett' petit' femm'-là !*
paroles Félix Mortreuil,
musique H. Christiné, 1898.)

Contre l'estrade élevée de l'orchestre, une grande glace permet aux débutantes d'essayer leurs premiers pas et de se faire remarquer, à défaut de Zidler ou d'entrepreneurs de spectacles, par des amateurs de cuisses nouvelles.

Dès l'ouverture du Moulin Rouge, Jane Avril refuse de prendre place dans le quadrille : elle danse seule, sans cavalier, une danse qu'elle improvise sur des airs de valse. Zidler cherche à l'attacher à l'établissement, lui propose un contrat, qu'elle refuse par goût de la liberté ! Elle refuse aussi de porter les douze mètres de jupons blancs des danseuses du quadrille, et Zidler l'autorise à choisir les couleurs des siens. C'est ainsi que la première robe qu'elle porte au Moulin Rouge est écarlate, et ses jupons déclinent toute une gamme de rouges, du plus vif au rose le plus tendre; une autre fois, une soie couleur cerise est suivie de l'héliothrope jusqu'à la lavande; ou une robe couleur flammes est accompagnée de bleu acier sous le cyclamen, de primevère sous le vert d'eau.

On comprend mieux que les témoins l'aient comparée à une orchidée, une flamme, un serpent qui danse.

Jane finit par céder aux sollicitations de Zidler (il quittera la direction du Moulin Rouge en septembre 1892) en acceptant de faire partie du quadrille. Liée par un contrat, mais régulièrement rémunérée, elle en est mortifiée :

> « Je n'y trouvais pas mon plaisir accoutumé. Il me fallait offrir aux spectateurs les pas que je dansais... »

Avec Pomaré et Mogador, les « reines » du bal Mabille, la danse était devenue spectacle, mais elles n'avaient pas encore répudié l'homme, leur partenaire. Au début des années 1890, avec Jane Avril et bientôt avec la Loïe Fuller (pour la première fois aux Folies Bergère en novembre 1892), qui se produisent seules sur scène, naît un « art nouveau » de la danse, entre danse classique et « modern'style. »

Danse serpentine, danse du Papillon, danse des Nuages, danse du Feu, danse du Lys, danse du Nénuphar : autant de figures de la Loïe Fuller dont les titres auraient pu convenir aux variations de Jane Avril. De cette même Loïe Fuller, Jean Lorrain écrit :

« Enfin... Paris possède un spectacle d'art. Au milieu des veuleries du café-concert, de l'eau d'évier des pièces réalistes et des sous-entendus grivois des "Couchers d'Yvette", à travers cette atmosphère de blanc gras, de plâtre et de tabagie qui suinte et filtre, canaille et sale, des hauteurs de Montmartre sur tous les beuglants de Paris, Paris enveloppé comme dans un filet d'obscénités et de salauderies, une vision de pure esthétique a surgi. »

Il se passe en effet quelque chose dans l'art de la danse, mais il n'est pas certain que Jane Avril le comprenne. Avant même son exécution sur scène, la Loïe Fuller a pris le copyright de la Danse serpentine, et ensuite des brevets nombreux pour ses costumes et ses voiles, des éclairages de scène inédits, des illusions d'optique, des réfractions lumineuses qui lui permettront de poursuivre en justice ses imitatrices. Dans ce « théâtre de la lumière », ce ne sont pas les jupons de la danseuse qui sont colorés, mais, sur un décor et une scène couverts de tentures noires, des draperies blanches brassées dans l'obscurité en spirales, en volutes, caressées par des rayons électriques polychromes.

A une esthétique de gélatine et d'écoulement visqueux de l'architecture et du mobilier art nouveau (façades de Lavirotte, bouches de métro de Guimard), la Loïe Fuller et Jane Avril apportent une vision dynamique. Mais celle-ci reste trop modeste, elle n'a pas l'esprit d'entreprise de celle-là : c'est la Loïe Fuller, plutôt que Jane, qui inspire les sculpteurs de statuettes pour la cheminée du salon et les filles-fleurs de Victor Prouvé.

« Est-ce de la danse ? » se demande-t-on en sortant du spectacle de la Loïe Fuller. C'est certainement un numéro de music-hall qui exige plus de muscle que de souplesse. Au moment où naît dans le monde la danse esthétique – celle de Saharet, danseuse australienne surtout connue en Allemagne, de Cléo de Mérode, de la Japonaise Sada Yacco qui révèle en 1900 à l'Amérique et à l'Europe les danses des geishas, sans oublier celles pour qui la danse est d'abord exhibition de leurs charmes en public : Emilienne d'Alençon, la Belle Otéro, Liane de Pougy, Mata Hari, dont les spectacles chorégraphiques, sans être très classiques, ne sont pas inattendus, – la danse que Jane Avril improvise, si libre soit-elle, répond aux goûts du grand public pour les valses et les polkas, de Chopin à Offenbach en passant par Johann Strauss père et fils, Olivier Métra, Desormes ou Waldteufel.

A cet art qui exige effort, rigueur, exercices quotidiens, Jane Avril oppose un refus de toute contrainte; elle prétend n'avoir jamais reçu aucune leçon ni suivi de cours de danse, si ce n'est lors de son bref séjour... à la Salpêtrière. (Il s'agissait vraisemblablement d'exercices d'assouplissement, évidemment sans musique). Sa danse n'est d'ailleurs

La Salpêtrière

Atteinte d'une maladie nerveuse, la petite Jeanne Beaudon entre à quatorze ans dans le service du professeur Charcot. C'est au cours d'un bal de la Mi-Carême qu'elle a pour la première fois la révélation de sa folie de la danse.

Au Bal Bullier

L'entrée de Bullier vers 1900, en face de la Closerie des Lilas.

Le Quadrille au bal Bullier. Dessin de Félix Rémagey.

La haute école au bal Bullier. De gauche à droite : la Rémoulade, le Passage du gué, le Coup du lapin, Présentez... armes !

Au Quartier latin

Au Quartier latin, Jeanne Beaudon fait la connaissance du jeune poète anglais Robert H. Sherard, qui lui donne son nom: Jane Avril. Elle vit quelque temps avec Teodor de Wyzewa, et on la rencontre sur le boulevard Saint-Michel en compagnie de Maurice Barrès.

Le Quadrille à l'Elysée-Montmartre

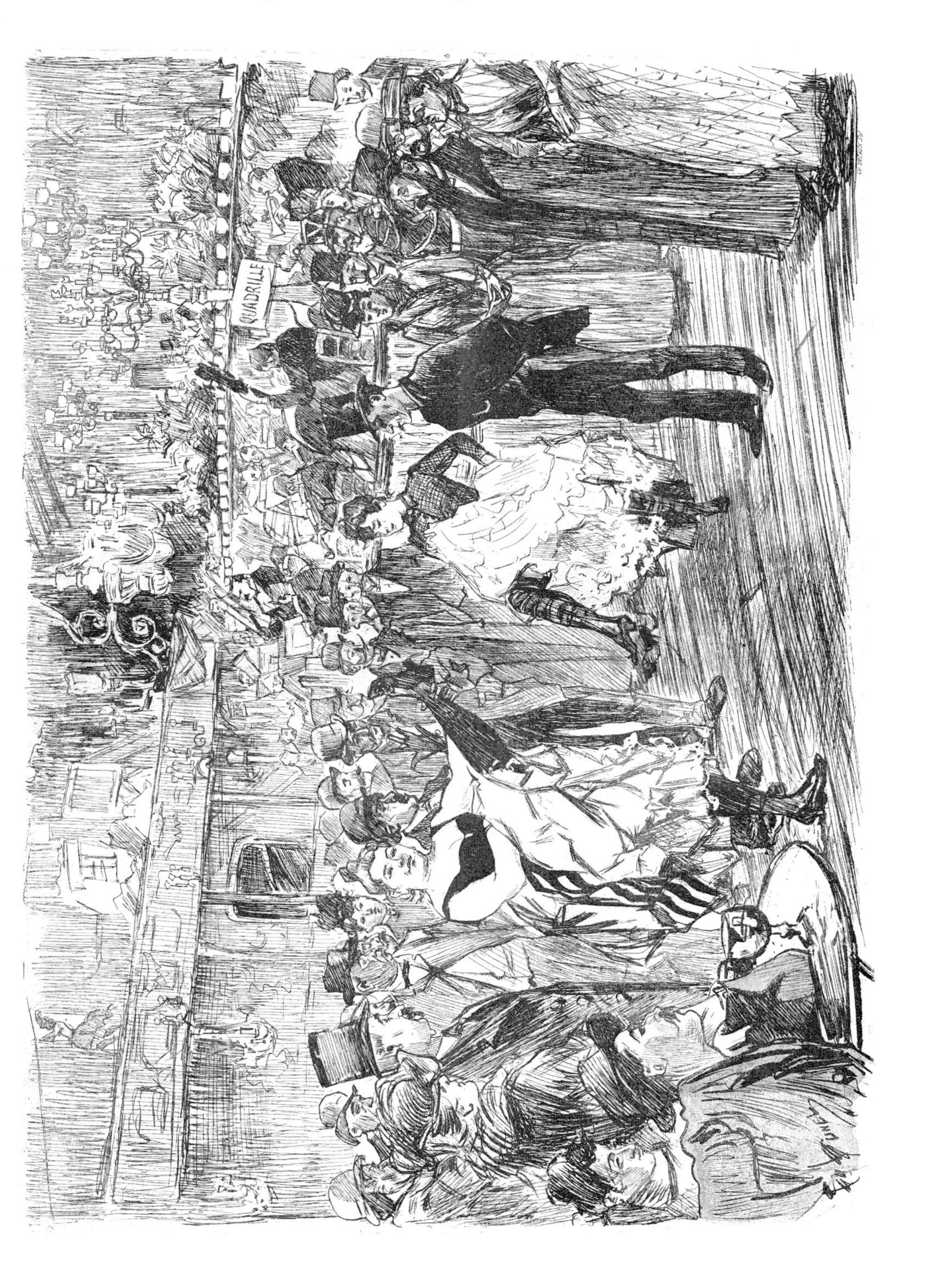

Le Moulin Rouge

Le bal du Moulin Rouge ouvre en 1889 avec une affiche de Chéret. La terrasse-jardin avec son éléphant géant et la scène de concert en plein air est un véritable parc d'attraction.

Le bal du Moulin Rouge.

Jane Avril

Jane Avril se plie au
séances de photographi
plus ou moins ridicule
exigées par les entrepre
neurs de spectacle.

ulin Rouge

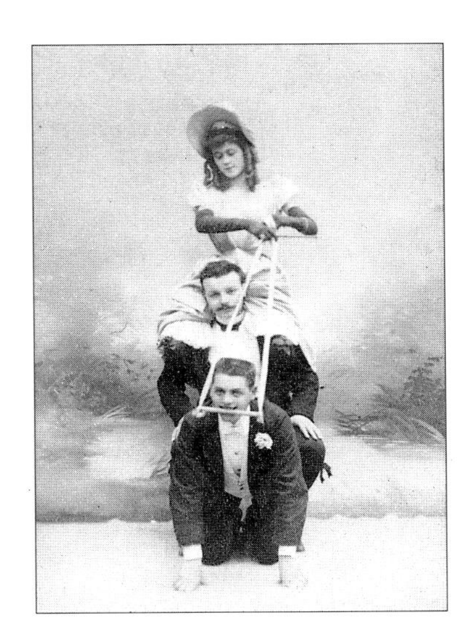

Au fond de cette toile de la Goulue au repos, disparue au cours de la Deuxième Guerre mondiale, on aperçoit Jane Avril dansant avec le même mouvement excentrique que Lautrec a tenté de saisir sur le croquis de droite.

vant Toulouse-Lautrec

Jane au repos

Pour le peintre, Jane Avril n'est pas seulement la danseuse en mouvement, c'est aussi une silhouette familière de Montmartre.

Au Mirliton,
le cabaret d'Aristide Bruant.

Au Moulin Rouge attablée avec des amis.

Au Jardin de Paris,
quittant Henry Somm.

Au balcon du Moulin Rouge.

Au spectacle des danses mauresques dans la baraque de la Goulue,
avec Oscar Wilde, Toulouse-Lautrec et Félix Fénéon.

Jane Avril entre au Moulin Rouge.

Amours, délices et orgues

En 1892, Alphonse Allais, blond aux yeux bleus, veut épouser la rousse Jane Avril. Ils se séparent dans les cris et les larmes.

Jane pose pour un ami de Toulouse-Lautrec, le photographe P. Sesceau.

Complicités

La complicité est telle entre Henri et Jane, qu'elle lui prête volontiers ses vêtements pour un bal costumé du *Courrier Français*, et que de son côté il lui confie le soin d'examiner la qualité du tirage d'une litho.

pas expressive : comme au premier jour, au cours du bal de la mi-carême à la Salpêtrière, pour Jane Avril – Jane la Folle ? – il n'y a pas de danse sans transe. En dansant, elle rêve. C'est ce qui fascine les habitués du Moulin Rouge : alors qu'elle se donne en spectacle, Jane Avril, à la fois offerte et pudique, improvise sans cesse pour son propre plaisir. Telle la voit Raoul Ponchon dans une chronique rimée. (Pousset est une brasserie des grands boulevards; quant à l'assassin Gamahut, que vient-il faire ici ?) :

Or, moi qui jamais ne bouge
Que pour aller chez Pousset,
Je fus hier au Moulin Rouge,
Je ne sais quoi m'y poussait.

Ce n'est pas la bagatelle...
J'ai, depuis beau temps, les pieds
Comme la Guerre... en dentelle,
Ou si l'on veut en papier.

Je ne marche plus ou guère,
Je puis le dire sans fard.
Mais alors, qu'allais-je y faire ?...
Je ne l'ai su que plus tard.

Après un repas bachique,
J'arrivai dans ce Moulin
Au moment psychologique
Où le bal battait son plein.

Affalé contre une borne
Devant un verre de ... quoi ?
Je regardai d'un œil morne
S'agiter autour de moi

Dans un tourbillon de nippes
Un tumultueux cancan,
Et j'imaginais les tripes
A la manière de Caen.

Des cavaliers, vrais mandrilles
Désossés pour la plupart,
Echevelaient des quadrilles
Aux sons d'un piston criard.

Oh! le spectacle morose
De cet odieux chahut!
Pour le raconter s'impose
La lyre d'un Gamahut.

J'allais fuir comme la peste
Cette dolente cité
Et sans demander mon reste,
Quand je fus sollicité

Par un petit être frêle,
Gracieux et puéril
Qui répond quand on l'appelle
Au doux nom de Jane Avril.

Elle dansait tout seule,
Sans souci d'un cavalier;
Non pas qu'elle soit bégueule,
M'a dit certain familier.

Elle dansait seule parce
Que cela lui plaît ainsi,
Qu'elle le trouve plus farce;
Elle a raison, moi aussi.

Elle se glissait, mignonne,
Souple entre les rangs pressés,
Sans jamais gêner personne
Et sans jamais dire : assez.

Certainement que sa danse
N'est pas celle que l'on voit
Aux bals de la Présidence;
Il s'en faut au moins d'un doigt.

Ça n'est pas cette infamie
Non plus de danse que l'on
Apprend à l'Académie.
Elle en sait beaucoup plus long.

Elle danse comme on danse
Au Moulin Rouge, mon Dieu...
Mais avec quelle élégance!
Elle est canaille, si peu!

Elle est tout charme, harmonie.
C'est la seule, à mon avis,
Saltatrice de génie
Que, jusqu'à ce jour, je vis,

Elle est à la fois espiègle
Et mélancolique. Elle a
Son seul caprice pour règle,
Et c'est de l'art que voilà.

Sur de quelconques musiques
Elle improvise des pas;
Les rythmes les moins classiques
Ne la déconcertent pas.

Elle danserait, je pense,
Aussi, mille fois sur dix,
Sur l'air de la « Reine Hortense »
Sinon du « De Profundis ».
On se la représente
Pas – ou du moins, quant à moi –
Différemment que dansante;
Elle danse comme... on boit.

Et sans plus de commentaire,
Elle vous donne à penser
Que sa fonction sur terre
Est seulement de danser.

Voire, quand va la pauvrette
Chez elle se pagnoter,
Aussitôt chacun répète :
Comme elle va s'embêter !

(La Muse gaillarde)

Au Moulin Rouge, les occasions ne manquent pas de se livrer à tous les plaisirs. Chaque samedi ont lieu des « redoutes », certaines organisées par le *Courrier Français*, avec chars fleuris, dans la cacophonie des orchestres de cuivres, sur des thèmes choisis par les artistes montmartrois. « C'était une charmante impression d'art », dit Jane Avril. Et d'ajouter : « Les nus eux-mêmes demeuraient chastes... »

Ce n'est pas l'avis de tout le monde. Le sénateur R. Bérenger, au nom de la Société générale de Protestation contre la Licence des Rues, dépose une plainte auprès du Procureur de la République à l'issue du « Bal des Quatr'-z-Arts » du 9 février 1893 :

> « Une quinzaine de femmes entièrement nues, sauf une gaze fort transparente sur les parties secrètes, ont été admises à figurer dans le cortège costumé qui a précédé le bal, et se sont ensuite mêlées aux invités et aux danses. »

Le bal a été organisé par un ami d'Alphonse Allais, l'architecte Henri Guillaume, frère aîné du dessinateur de petites femmes Albert Guillaume. Le tribunal retient surtout l'indécent costume de Cléopâtre de Mlle Sarah Brown :

> *Le président, M. Courot.* – Vous êtes accusée d'attentat à la pudeur. Vous aviez un costume très décolleté. La chair nue apparaissait.
>
> *Marie-Florentine Roger, dite Sarah Brown.* – Mais non, j'avais une ceinture, de gros colliers, puis des séquins.
>
> *Le Président.* – Aviez-vous un maillot ?
>
> *Sarah Brown.* – Non; pour quoi faire ? J'étais vêtue...

Le 30 juin, Henri Guillaume, Sarah Brown et trois autres modèles sont condamnés chacun à 100 francs d'amende. Ce jugement déclenche quelques bagarres au quartier Latin, au cours desquelles un étudiant est tué à la terrasse d'un café du boulevard Saint-Michel, atteint à la tête par un pyrogène lancé par un sergent de ville. Les troubles s'étendent, la Bourse du Travail est fermée; ils ne s'apaisent qu'au bout d'une semaine, quand Lépine succède à Lozé à la préfecture de police : une fesse nue a suffi à provoquer une émeute.

« Libre, vivant comme un garçon », Jane fait partie d'une bande qui n'a souci que d'aller canoter. Dédaignant la Marne, tout juste bonne pour le public populaire du dimanche, ces garçons, futurs rentiers, en attendant le mariage se donnent rendez-vous chez Fournaise (ce limonadier de l'île de Chatou a eu l'idée d'ajouter un embarcadère à sa guinguette) et à la Grenouillère. Il arrive ainsi à Jane de barrer *L'Arlequin* jusqu'à Rouen.

Il n'y a pas que de joyeux compagnons, garçons et filles, qui fréquentent le Moulin Rouge. Y traînent aussi quelques vieux beaux qui comptent encore des succès féminins et guident les figurantes les plus douées sur les chemins de la « Haute Bicherie ». Parmi eux, Alexandre Duval, propriétaire des « bouillons » parisiens qui portent son nom, et pour cette raison surnommé Godefroy de Bouillon; le « prince » Henri de Mayréna, qui tient ce titre de son frère Marie Ier, qui s'est couronné chez les Moï annamites « roi des Sédangs »; le prince Troubetzkoï, dit Trou-Trou pour les dames, si roide qu'on le dirait en zinc; le prince Stan de Poniatowsky, dit « le Roi » bien qu'il ne le soit pas, maquillé comme une vieille coquette; le comte Bertrand de Valon, blond, frisé au petit fer, la raie au milieu sur la nuque, grand veneur de la « Dussèche du Geste » (faut-il préciser qu'il s'agit de la Duchesse d'Uzès ?), qui, venu le moment du mariage, refilera sa maîtresse Charlotte Dufrêne à Raymond Roussel; et bien d'autres oisifs échappés du Jockey Club et autres lieux.

Parmi eux, le « doyen » Arsène Houssaye frise les quatre-vingts ans (né en 1815, il va mourir en 1896);

successivement administrateur de la Comédie Française (grâce à la comédienne Rachel), inspecteur général des musées de province, directeur du Théâtre Lyrique, directeur du journal *L'Artiste*, puis de *La Presse*, il a écrit une foule d'ouvrages historiques et autant de romans aujourd'hui oubliés (à l'exception de l'*Histoire du quarante et unième fauteuil de l'Académie française*, 1855). On dit de lui : « Son talent, c'est un sourire tempéré par une larme, un trait d'esprit mouillé par un trait de sentiment » ; ce qui prouve à quel point la société du Second Empire se contente de peu.

Au Moulin Rouge, il se fait présenter Jane Avril dont la grâce lui rappelle celle de « la Fille de l'Air », une danseuse du bal Mabille qu'il avait enlevée dans sa jeunesse. Pour Arsène Houssaye, Jane Avril est l'incarnation de la danse : il la compare à Terpsichore, l'invite parfois à dîner dans son hôtel particulier de style Renaissance, 39, avenue de Friedland, enveloppé dans une robe de chambre de couleur pourpre, un fichu écarlate sur la tête, la barbe blanche fraîchement parfumée. Jane prétend lui avoir servi à l'occasion de secrétaire bénévole, l'aidant dans la rédaction de ses articles et à tenir le catalogue de ses collections. Ce qui est certain, c'est que le vieil homme semble être tout heureux de faire visiter à Jane la galerie qui relie son hôtel au voisin (il est aussi propriétaire du n° 37, mais il le loue), où sont exposés tableaux, sculptures, porcelaines et verreries vénitiennes, et une collection d'émaux anciens qui la plonge dans le ravissement. Jane ne perd pas cette occasion d'affiner ses connaissances artistiques.

Mais elle est parfois imprudente dans ses relations d'un soir. C'est ainsi qu'au Moulin Rouge, son cavalier du jour, le fils d'un soyeux lyonnais, la conduit à une table élégante, véritable inventaire de la société mêlée qui fréquente le bal : un petit marquis poudré, un jeune boxeur, un poète symboliste, un jeune couple anglais transparent, un éminent politicien, et, parmi les dames, une Américaine bien mûre, une chanteuse blonde, une demi-mondaine sur le sable, une joyeuse divorcée et une dame plus âgée fort distinguée. C'est celle-ci qui invite Jane à venir prendre le thé, le lendemain, près du square Louvois ; mais, quand s'ouvre la porte de l'appartement, avant de s'enfuir en courant, Jane a le temps de reconnaître dans l'ombre le spécimen dégénéré d'une grande famille à l'affût de chair fraîche : elle ne s'est pas rendu compte qu'elle entrait dans une des plus célèbres maisons de rendez-vous de Paris où l'avait attirée une entremetteuse...

Le Moulin Rouge est heureusement fréquenté aussi par les artistes de Montmartre qui ont vu s'ouvrir avec curiosité dans leur quartier, à mi-chemin de la Nouvelle Athènes et du sommet de la Butte, ce nouveau lieu de plaisir prometteur : Théophile Steinlen, Jacques-Emile Blanche, Louis Anquetin, Auguste Renoir, Grün, Grass-Mick, Henri de Toulouse-Lautrec, pour ne citer que ceux qui vont suivre la carrière de Jane. Et on se demande comment elle a pu échapper aux dessinateurs humoristes et caricaturistes – Sem, Abel Faivre, H.-G. Ibels, Louis Legrand, Charles Léandre, Henry Somm qui la rencontre avec Lautrec, Albert Guillaume qui dîne chez elle avec Alphonse Allais – si l'on excepte Adolphe Willette qui la voit patiner au Palais de Glace, mais qui la rate.

Toulouse-Lautrec s'est imprégné de la culture populaire de son temps. Ce n'est pas dans la rue, comme Steinlen à la même époque, qu'il rencontre les femmes qui sont ses modèles, mais dans la sueur des bals publics, la musique de bastringue qui accompagne les chanteuses de café-concert, la sciure des cirques, les relents d'alcool des cafés et des guinguettes, ou les « salons » factices des maisons closes. Quand le *Figaro illustré* lui octroie en 1893 le titre de « peintre officiel de la Goulue », il est certainement beaucoup plus flatté que de recevoir une reconnaissance académique. Il est artiste peintre, mais il a une prédilection pour les supports éphémères, l'affiche que l'on colle sur les murs, les petits formats de chansons vendus aux carrefours, pliés, repliés, oubliés, la presse hebdomadaire imprimée sur un papier qui vieillit mal, qui casse et jaunit, et qu'on ne conserve guère. Il n'a aucun scrupule d'artiste à participer à ces entreprises commerciales que sont les spectacles populaires. Non seulement il ne semble pas voir de différence entre une forme triviale et une forme raffinée de l'art, mais il est aussi un des rares à ressentir dans le chahut des bals publics une sauvage beauté, une ivresse qu'il veut partager.

Son premier dessin du cancan est sans doute la double page du « quadrille de la chaise Louis XIII » dans le numéro de décembre 1886 du *Mirliton*, la revue de cabaret d'Aristide Bruant. Quand ouvrira le bal du Moulin Rouge, il ne cessera de le fréquenter, de préférence en compagnie de son cousin Gabriel Tapié de Céleyran dont la stature est gigantesque : le couple extravagant qu'ils forment fait oublier la taille de chacun, et surtout celle de Toulouse-Lautrec, qui en souffre mais tient à montrer qu'il est le premier à en rire. Dès la première année, il peint le *Dressage des nouvelles par Valentin le Désossé*, grande toile qui restera accrochée en permanence dans l'entrée du bal. Il s'initie à la lithographie chez Ancourt, l'imprimeur de la rue Saint-Denis où travaille le père Cotelle, et Zidler lui commande l'affiche du Moulin Rouge où figurent la Goulue (nommément citée) et Valentin au premier plan. Trois toiles au moins, en 1892, sont consacrées à la Goulue, un modèle qui est devenu et restera une camarade. Mais Lautrec remarque alors une autre danseuse : c'est Jane Avril, qui devient une amie.

En 1892, après *Jane Avril dansant* (au Musée d'Orsay), *Jane Avril entrant au Moulin Rouge* (à Londres), *Jane Avril sortant du Moulin Rouge* (à Hartford, Connecticut), un portrait (à Williamstown, Mass.), Lautrec va faire paraître en janvier 1893 son affiche du *Divan Japonais*.

En 1892, Jane a vingt-quatre ans. Elle n'est plus la gamine perverse à laquelle on veut nous faire croire. Arthur Symons la voit jeune, enfantine, d'autant plus provoquante qu'elle se donne des airs prudes et que tout en elle suggère une sorte de « virginité dépravée » et, pourquoi pas, un mélange de perversion et d'ingénuité morbide et sombre... Rien de tout cela n'apparaît sur ses photographies, et les portraits que fait d'elle Toulouse-Lautrec montrent plutôt une jeune femme élégante, voire excentrique et provoquante, distante et grave, un visage aux longs traits soulignés par le nez à l'ossature délicate sous des cheveux dorés naturellement bouclés – et de grands yeux vert clair au fond des orbites légèrement bistrées. Sans doute Lautrec exagère-t-il le trait, creusant les joues, accentuant la mélancolie de son modèle. Mais c'est ainsi que nous connaissons Jane Avril. Sans Lautrec, malgré ses photographies, elle n'aurait pas de visage.

Ce qui frappe surtout chez une danseuse du quadrille, c'est son élégance à la ville. Toulouse-Lautrec la voit entrer au bal dans un long manteau bleu-mauve au large col de fourrure, gants assortis au manteau, un petit réticule pendu au bras, chapeau fleuri sur ses cheveux roux; elle en sort avec un petit chapeau à plumes; et le portrait la surprend sous un Gainsborough, ses épaules couvertes d'une courte cape serrée au col. Elle porte généralement la veste cintrée aux épaulettes relevées, ou plutôt bordées par une mince fourrure qui serpente sur son col, comme on voit sur la scène *Au Moulin Rouge* (Chicago) : Jane assise, de dos, sur le balcon qui surplombe la piste de danse ; elle coiffe le chapeau noir à plumes qu'elle porte sur les tableaux et esquisses de Lautrec, de Steinlen, de J.-E. Blanche ; elle ne cache pas qu'elle adore les chemisiers alors à la mode, dont elle collectionne une quantité de toutes les couleurs. Et – il faut le souligner, tant ce refus est rare à l'époque – elle ne porte jamais de corset.

Elle fait bientôt partie du petit groupe des amis de Lautrec. (Une des plus belles photos de Jane Avril est prise par Sescau.) Entre le peintre et la danseuse s'établit une véritable complicité. Quand il la montre, en 1893, examinant avec le geste de l'amateur d'estampes une litho que vient de tirer le père Cotelle, c'est bien qu'il lui a appris à regarder son propre travail et à l'apprécier. Jane s'étonne de voir Lautrec reprendre deux fois, trois fois, dix fois son trait. Quand il a besoin d'elle, et quelle que soit l'heure, il vient la chercher chez elle en fiacre, elle doit descendre de son appartement sans attendre. Avant la pose dans son atelier, à l'angle de la rue Caulaincourt et de la rue Tourlaque, il l'emmène au restaurant, ou ils improvisent un déjeuner dans l'atelier. Lautrec compose de redoutables cocktails qu'elle touche à peine des lèvres. (Elle n'a pas tort, car de plus intrépides n'y ont pas résisté !)

Le désordre qui règne dans l'atelier étonne Jane, surprise de voir pêle-mêle, sur une table, des coquillages, des estampes japonaises, des photographies. Quand elle s'assied sur un des coussins, il s'en élève un nuage de poussière...

Les séances de pose sont souvent interrompues. Lautrec demande à Jane de danser ; ou de reprendre les paroles qu'il a improvisées en l'honneur des danseuses de cancan :

Les bas noirs, les bas noirs
Sont les bas que je préfère.
Tous les soirs, tous les soirs,
A mon âme ils ont su plaire...

Un soir, il emprunte même à Jane son manteau, son chapeau à plumes, son boa pour se rendre, le samedi 19 mars 1892, au « Bal des Femmes » organisé par le *Courrier Français* à l'Elysée-Montmartre. Il s'agit, pour les hommes, de porter « non pas une toilette, mais bien un costume de femme » et de le garder jusqu'à 5 heures du matin.

Jusqu'où va donc leur amitié ? Lautrec est amoureux de Jane, et s'il ne l'écrit pas dans ses lettres, nous le lisons sur ses toiles et ses affiches. Les rapports de Lautrec et des femmes ne sont jamais simples. La Goulue le tutoie, Jane Avril lui dit « vous ». Il se vante d'être bâti comme une cafetière, mais c'est à des prostituées qu'il s'adresse, et, s'il prend pension dans un bordel de la rue des Moulins, c'est parce qu'il s'y sent un peu en famille au milieu des femmes. En octobre 1890, Joseph Oller lui demande avec quelle danseuse du Moulin Rouge il aimerait coucher :

– Avec aucune. Car si elles pratiquent l'amour avec le même brio qu'elles dansent le cancan, elles broieraient ma pauvre carcasse.

Le surnom de Jane Avril – la Mélinite – ne doit guère le rassurer...

L'affiche du *Divan japonais* sort de presse au mois de janvier 1893 et porte, imprimé, le nom d'Edouard Fournier, le nouveau propriétaire de ce café-concert, 75, rue des Martyrs, que Jehan Sarrazin a dirigé durant près de dix ans, de 1883 à 1892. C'est ce dernier qui avait remarqué au Moulin Rouge Yvette Guilbert travestie en nurse anglaise avec des nattes dans le dos; lui qui l'a lancée avec des chansons de Xanrof et de Bruant devant un public d'artistes et d'habitués du Chat Noir. Yvette Guilbert n'a pas chanté plus d'une saison au Divan japonais, qui traîne ce nom depuis que son premier propriétaire, Théophile Lefort, a décoré les murs et les plafonds de chinoiseries de pacotille sans aucun rapport avec le « japonisme » qui inspire les peintres – et, bien sûr, Toulouse-Lautrec. La « diseuse » est partie et l'affiche de Lautrec est trompeuse : la silhouette d'Yvette Guilbert avec ses longs gants noirs ne doit plus apparaître sur la scène du Divan japonais. Et sans doute est-ce pour cette raison qu'elle a la tête coupée : Fournier aura demandé à Lautrec d'« évoquer » la vedette en évitant qu'elle soit trop présente. Quoi qu'il en soit, l'affiche magnifique de

Toulouse-Lautrec n'a pas dû servir très longtemps avant que le Divan japonais ne tombe entre les mains de Maxime Lisbonne, pittoresque communard dont les entreprises se succèdent (le Casino des Concierges, la Taverne du Bagne, la Taverne de la Révolution française, les Frites révolutionnaires, les Brioches politiques et même le Concert Lisbonne) mais ne durent pas.

La silhouette de Jane Avril, vêtue de noir jusqu'au col roulé, jusqu'à la bride de son chapeau noir à plume noire, qu'on voit enfin ici de profil après l'avoir tant vue de dos, est certainement son portrait le plus fin et le plus fidèle. « Quelle élégance elle a, l'exquise créature nerveuse et névrosée, fleur captivante, éclose, semble-t-il, pour être chère à Des Esseintes », écrit Frantz Jourdain dans *La Plume*.

Un autre peintre, Jacques-Emile Blanche, s'est inspiré de l'affiche de Lautrec pour évoquer le Divan japonais et prendre pour modèle Jane Avril qu'il avait déjà dû rencontrer quatre ou cinq ans plus tôt, au temps de la *Revue indépendante* à laquelle il a collaboré.

La chevelure rousse de Jane contraste avec la barbe et les cheveux blonds d'Edouard Dujardin enamouré qui l'accompagne, le monocle à l'œil. Toulouse-Lautrec a fait la connaissance de Dujardin par l'intermédiaire d'Anquetin, son camarade du lycée de Rouen. Jane l'a connu au quartier Latin au temps de la *Revue Wagnérienne*, avec Teodor de Wyzewa. Dujardin vient d'obtenir un certain succès avec un tryptique qui fait date dans l'art dramatique symboliste : *La Légende d'Antonia*. La première partie, *Antonia*, a été jouée au théâtre d'Application en 1891 ; la deuxième, *Le Chevalier du Passé*, au théâtre Moderne en 1892 ; et *La Fin d'Antonia*, au Vaudeville en 1893. Nanti, mais pas pour longtemps, il propose à Jane de l'emmener en voyage aussi loin qu'elle le désire. Elle choisit modestement Bruxelles. En réalité, elle sait – mais ne le dit pas – qu'ils y retrouveront les chansonniers du Chat Noir, en tournée dans le Nord de la France et en Belgique. Ils les surprennent en pleine action au musée Castan ; un musée dont les personnages de cire subissent les farces inoffensives de cette bande de joyeux drilles : le pape porte le bicorne du général Boulanger, le roi Léopold le chapeau melon de l'assassin Pranzini... Quant à Dujardin, il sent bien que Jane lui échappe et qu'elle préfère s'amuser avec cette joyeuse bande plutôt que de répondre à sa proposition de la doter avant de l'épouser. Elle lui doit, dit-elle, « un chien de sa chienne », faisant allusion à une empoignade dans le bureau de la rue Blanche, au temps de la *Revue Wagnérienne*. Ils rentrent à Paris où, connaissant le penchant de Dujardin pour l'anglomanie à la mode, Jane lui suggère de prendre soin de son amie May Milton, dont les affaires ne vont guère.

C'est une jeune Anglaise du Moulin Rouge au visage blafard et au menton lourd dont Jane s'est entichée, tant elle danse plus adroitement et plus gracieusement que les autres filles du Quadrille : Jane Avril est bien obligée de reconnaître que la formation chorégraphique anglaise est bien supérieure et permet à la fois un souci du détail et une spontanéité qu'aucune danseuse française ne peut égaler. Jane et May deviennent immédiatement amies ; elles partagent un petit deux-pièces en haut de la Butte Montmartre, et sont inséparables. Il suffit d'inviter Jane pour qu'elle demande timidement : « Et Miss aussi ? » Au point que personne ne l'appelle plus que « Missaussi » et que ce nom lui collera à la peau durant toute sa carrière.

Lautrec peint un portrait de May Milton (peut-être deux, si c'est bien elle qui s'avance à droite du groupe *Au Moulin Rouge*), et, en 1895, lui consacre une affiche sur laquelle elle est peu flattée, mais qui souligne un pas spirituel de la danseuse.

C'est grâce à Missaussi que Jane met pour la première fois le pied en Angleterre : May retourne dans la banlieue de Londres où vit sa famille qui accueille chaleureusement la jeune étrangère. May fait visiter Londres à son amie, les monuments mais aussi les théâtres, les music-halls.

Jane doit rentrer en France pour ouvrir la saison du Jardin de Paris. A cette occasion, Lautrec réalise l'affiche que l'huissier Panmuphle saisit chez le docteur Faustroll.

Du Jardin de Paris
aux Folies-Bergère

A Montmartre, Jane se souvient encore du bal Bullier de sa jeunesse; elle y entraîne un soir Toulouse-Lautrec. Elle vient encore fréquemment y danser le jeudi, car elle a trouvé un nouveau partenaire. C'est Jules Oury, connu sous le nom de Marcel-Lenoir, peintre religieux, lithographe, enlumineur, graveur sur verre, créateur de vitraux.

Grand, maigre, vêtu d'une redingote serrée à la taille, d'un pantalon étroit et d'un chapeau-haut-de-forme, il se tient assis près de l'orchestre, se lève sans un mot à l'entrée de Jane et l'entraîne au milieu de la piste dont se sont écartés les danseurs.

Sans répétition, ils dansent en harmonie parfaite. Leur pas de deux se termine par un solo de Jane. Et la danse s'achève aussi soudainement qu'elle a commencé : Jane reprend ses gants et son réticule posés sur la table, salue son partenaire et se retire.

Ils ne se voient jamais en dehors de Bullier et n'échangent pas d'autres mots que leurs salutations.

Un jeudi, Jane ne le trouve pas à sa place habituelle; elle apprendra qu'on ne l'a pas vu depuis une semaine, et elle quitte le bal sans danser. Marcel-Lenoir s'est retiré dans un monastère, loin des frivolités du monde.

C'est à peu près à cette époque que Jane se met à tousser, au moment même où Teodor de Wyzewa, qu'elle n'a pas revu depuis le quartier Latin, la rencontre à Montmartre :

> « Je l'ai retrouvée quatre ans après, l'hiver passé, dans un autre bal, au Moulin Rouge, où j'étais entré par hasard. Elle était devenue tout à fait jolie, avec un délicat visage souriant où scintillaient, plus naïfs qu'autrefois, ses petits yeux à la japonaise. Ou plutôt elle n'était pas jolie ; mais elle avait pris, en devenant femme, les formes qui convenaient à une jeune princesse. Tout en elle était noble et gracieux. Parmi ces vulgaires filles qui l'entouraient, vraiment elle s'épanouissait comme une fleur royale. »

C'est ce qu'écrit Wyzewa dans *Valbert*. En réalité, c'est une Jane bien malade qu'il revoit. Elle a préjugé de ses forces et de son souffle, et Wyzewa la fait examiner par un médecin qui ne cache pas son inquiétude : le léger tic au visage qu'elle avait gardé de son séjour à la Salpêtrière s'est encore exagéré, et elle est sujette à des crises de larmes nerveuses ; aussi fait-il entrer Jane au sanatorium de Villepinte, dans la banlieue Est de Paris, qui accueille les jeunes filles et les enfants poitrinaires.

La Mère supérieure, curieuse et intriguée par l'élégance de « Madame Wyzewa », propose à Jane

Avril de la présenter à des dames de la bonne société, pensionnaires de la maison de santé, tant et si bien qu'elle finit par l'agacer : elle lui avoue n'être pas mariée à Wyzewa et, bien pire, qu'elle est danseuse. Horrifiée, la Mère supérieure remercie Jane de sa franchise et la prie de surtout n'en rien dire aux « chères sœurs ». Dès le lendemain, Jane s'aperçoit qu'elles sont toutes au courant et défilent dans sa chambre pour voir de près une vraie pécheresse. Bientôt, tout le sanatorium n'a plus qu'une préoccupation, le salut de l'âme de Jane Avril. Un dimanche, même, à l'office où elle s'est rendue par bienséance, le prêtre exhorte l'assistance à prononcer une prière spéciale à l'intention d'une jeune femme de l'établissement, dangereusement malade et éloignée de Dieu : tous les assistants, y compris les petites orphelines de l'Asile Sainte-Marie, se tournent vers Jane...

Ces simagrées commencent à agacer sérieusement Jane Avril qui est résolue à quitter le sanatorium coûte que coûte. Elle réussit à convaincre Teodor de Wyzewa de la faire sortir, malgré les mises en garde alarmistes de la Mère supérieure auxquelles Jane répond que, si elle doit mourir, ce sera en dansant, et pas dans cette prison ! Teodor consent même à l'accompagner au Moulin Rouge où elle danse ce soir-là éperdument.

Wyzewa, qui collabore alors au *Temps*, à la *Revue des deux Mondes*, à la *Revue Bleue*, vient de faire paraître en feuilleton dans *L'Echo de Paris*, du 27 avril au 28 mai 1893, son roman *Valbert, ou les récits d'un jeune homme*, dans lequel tout un chapitre est consacré à Jane. Avec le produit de ce feuilleton, sur les conseils du docteur Jules Héricourt, il peut envoyer Jane en convalescence sur la Côte d'Azur. Il la rejoint à Toulon puis à Tamaris. Ensemble ils vont rendre visite à Auguste Renoir. Malgré la différence d'âge (Renoir est né en 1841), les deux hommes s'apprécient, l'un pour son art, l'autre pour sa critique. Renoir demande à Jane de poser dans une robe bleue serrée à la taille, un chapeau à fleurs sur ses cheveux relevés. Teodor achète le portrait de Jane pour le lui offrir. Renoir, qui n'en est pas satisfait, y consent à condition de ne pas le signer.

Où est passé ce portrait de Jane Avril par Renoir ? Personne n'en sait rien. Et pourtant... Quelle meilleure occasion, pour un faussaire, de faire apparaître au grand jour un quasi-authentique Renoir... non signé !

Jane et Teodor font d'autres voyages en France et à l'étranger, notamment à Francfort où Wyzewa vient examiner un Titien à l'authenticité douteuse, puis à Cassel, sans que la germanophobie de Jane s'en trouve atténuée.

> « Il m'offrit tour à tour de m'épouser, de m'adopter... Je fus par lui humblement adorée.
>
> Aussi peu convaincus l'un que l'autre, nous tentâmes un soir de jouer "au père et à la

mère", mais un fou rire partagé coupa court à nos ébats... Et nous n'allâmes pas plus avant.

Quel dommage que je n'aie pu l'aimer d'amour, n'ayant jamais pu lui offrir qu'une affection reconnaissante et admirative ! [...]

Je lui dois ce qu'il peut y avoir de noble et d'élevé dans mes pensées les meilleures. Je n'ai jamais rencontré dans ma vie un être pouvant lui être comparé ! »

Ainsi finit ce grand amour raté. En 1892, Wyzewa rencontre Marguerite Terlinden, qu'il épousera au début de 1894. Un an plus tard naît sa fille Isabelle ; Marguerite meurt en 1901. « Je ne connais personne qui écrive le français aussi délicieusement que Wyzewa », dit Renoir que Teodor vient revoir. Il publie des *Contes chrétiens* en 1892. A la fin de sa vie, il devient fervent catholique et antidreyfusard. Il meurt à Paris le 8 avril 1917.

Jane retourne aussi plusieurs fois dans le Midi. Elle va rendre visite à Renoir à Cagnes, après son accident de 1897 qui lui a fait perdre peu à peu l'usage de la main. Elle a même, au cours de ses voyages, « de charmantes aventures. » A Toulon avec un enseigne de vaisseau si imprégné de Loti qu'il l'appelle sa « petite mousmé japonaise ». Et avec un beau secrétaire d'ambassade de la reine d'Angleterre, Max Muller, qu'elle retrouve dans le Midi, tant il lui demeure « attaché », durant de nombreuses années : « Nous menâmes sur la Côte une vie de joyeuses folies. »

De joyeuses folies, il n'en manque pas non plus à Montmartre. Rue Victor Massé, en face du n° 12 qu'occupe l'hostellerie du Chat Noir, Charles Desteuques, surnommé l'Intrépide Vide-Bouteilles parce que d'avoir trop fait la noce, il ne peut plus boire que de l'eau, a ouvert un cercle qui occupe deux appartements. Il tient dans *Gil Blas* une rubrique réservée à la promotion des demi-mondaines et des « dégrafées »; secrétaire des Folies-Bergère pour lesquelles il recrute les figurantes, il se flatte d'être à l'origine de la fortune galante d'Emilienne d'Alençon. Chaque dimanche soir, il organise des dîners bruyants où Zidler, armé d'une louche immense, distribue le potage à une chambrée d'artistes, de gens de lettres, de cercleux mêlés aux petites théâtreuses, aux courtisanes chevronnées et aux demi-castors.

Du côté des dames, voici :

> « Cléo de Mérode, figée dans sa beauté "noblesse oblige"; Emilienne d'Alençon au délicieux visage de baby anglais – toutes deux favorites royales; la belle Otéro avec son profil de dame de pique; Adèle Richer, étincelant Chéret au rire de bacchante; l'endiablée Miss Campton; Lina Cavaliéri, si ravissante! Liane de Pougy, toute de charme onduleux; Margot de Gevaert, aux somptueuses dentelles; Math Castira (le petit Duc); Alice Aubray; Alice de Brémond, blonde comme les blés murs, jolie,

rieuse, fraîche comme un clair printemps ; Georgette Villais qui fut marquise et s'en lassa ; De Marsy ; Edwards et la jolie Lantelme ; Cécile Sorel avant la Comédie-Française ; Mlle de Sombreuil, l'éternelle expulsée, connue pour ses scandales et voies de fait sur des hommes politiques, et quantité de comparses dont je fus parfois... »

– Toi, dit Charles Desteuques à Jane, tu n'arriveras jamais à rien, il te suffit d'une chaumière et d'un cœur.

Il ne se trompe que sur la quantité.

Il arrive que certaines de ces dames invitent Jane à venir leur rendre visite le lendemain. Elle se garde bien de le faire. Elle se contente d'accompagner Lautrec à la Souris, un bar féminin dirigé par Madame Palmyre (Lautrec peint son bull-dog, « Bouboule », qui, d'après Gustave Coquiot, ressemble à sa maîtresse). Jane Avril fréquente aussi le Hanneton, près de la rue Pigalle, tenu par Amandine, une vieille hétaïre désabusée qui trône à la caisse, haut cravatée, « ressemblant plutôt à un vieux magistrat qu'à une femme » ; rue Bréda, une brasserie tenue par un ménage de vieilles et grosses commères vit de la même clientèle. Quant à Andrée Philip, une chanteuse fantaisiste, elle tient une boîte, le Scarabée, aux environs de la place d'Anvers, mais, ici, les pensionnaires de l'établissement sont des hommes travestis. Ces prostitués s'affublent de noms connus dans la galanterie : la « d'Alençon » fait des grâces, la « Pougy » se prétend modiste. Mais ce qui lève le cœur de Jane, c'est d'apprendre qu'un de ces invertis se fait appeler « Jane Avril » !

« J'étais surtout l'amie des poètes et littérateurs (et non des grands ducs), et c'est du Chat Noir que j'ai gardé l'impérissable souvenir », écrit plus tard Jane à Léon-Paul Fargue. Le cabaret existe déjà depuis plusieurs années quand elle arrive à Montmartre. Il n'y a pas loin de la rue Victor Massé à la place Blanche et vice-versa, et si les poètes et les habitués du cabaret fréquentent le Moulin Rouge, Jane (et Missaussi) ne tardent pas à les rejoindre chez Salis. Si on en croit Jane Avril, c'est Alphonse Allais qui l'introduit au Chat Noir.

Leur première rencontre a lieu au printemps à Honfleur, dans le jardin de la Ferme Saint-Siméon, l'auberge de la mère Toutain où venaient se réfugier les peintres Eugène Boudin, Jongkind, Claude Monet, Camille Corot, et qui accueille maintenant une nouvelle génération de joyeux peintres et écrivains. Avec Missaussi, elle accompagne un Normand de Paris, le vicomte Emmanuel, dit Jehan, Soudan de Pierrefitte, Skald des Normands, instigateur de l'Entente Cordiale (les futurs accords franco-britanniques de 1904), authentique vicomte mais écrivain truqueur quand il publierra en 1907 un roman d'Alphonse Allais, *Dans la peau d'un autre*, qui est le délayage d'un conte déjà connu, précédé d'une lettre-préface (posthume) d'Allais qui est un faux.

Jane a déjà entendu parler d'Alphonse Allais au Chat Noir à une époque où il s'est retiré chez ses parents à Honfleur après avoir quitté le poste de rédacteur en chef du journal *Le Chat Noir* en juillet 1891. Elle tombe sous le charme de cet homme de trente-huit ans (elle en a vingt-quatre), grand, blond, aux yeux bleus à la fois candides et railleurs, aux longues mains fines et soignées. « On dirait un contremaître anglais », confiera-t-elle plus tard, ce qui n'est ni très aimable, ni très juste. Pour l'heure, elle ne voit que sa gaîté, sa délicatesse, et, derrière son espièglerie, une nature profondément sensible et affectueuse, celle d'un poète plutôt que d'un amuseur. C'est le début d'une nouvelle passion.

A Paris, ils se rencontrent désormais au Chat Noir. Jane raconte :

> « J'en devins la commensale attitrée. Raoul Ponchon, Léopold Stevens et Paul Robert s'intitulèrent de suite mes "trois mousquetaires." [...]
>
> J'étais tour à tour, et selon chacun des hôtes de Salis, le petit Tanagra, la petite chérie ou le petit Botticelli de la maison. Guéneau de Mussy me découvrit même un petit air mérovingien !
>
> J'étais avant tout le petit copain de tous [...].
>
> Nous nous réunissions presque chaque soir pour y dîner, comme une grande famille, assaisonnant les mets – et sans compter – du sel de l'esprit de chacun, servis par des garçons costumés en académiciens. »

Charles de Sivry se met au piano, improvise une valse nouvelle, et Jane danse.

En tête d'un conte paru dans *Le Journal* du 24 octobre 1892, Alphonse Allais inscrit cette dédicace, suivie d'une note en bas de page :

A celle-là seule que j'aime et qui le sait bien[1].

1. Dédicace commode, que je ne saurais trop recommander à mes confrères. Elle ne coûte rien et peut, du même coup, faire plaisir à cinq ou six personnes.

Dans la quantité, « celle-là » se reconnaît très bien. Ils sont d'ailleurs si intimes qu'Allais (il est bien le seul !) sait son véritable état-civil.

Dans « Pauvre Célina », qui avait paru dans le *Chat Noir* le 19 février 1887, la petite bonne Célina, amoureuse de son maître Zéphir Lagourde, apprend qu'il va se marier :

– Et avec qui ?
– Devine.
– Avec Rosalie Gambillotte, peut-être ?

Allais reprend ce conte en 1892, puis dans le recueil *Pas de Bile !* en 1893, sous un nouveau titre, « Pauvre Césarine », en modifiant les noms et avec de nombreuses variantes, notamment ce dialogue :

– Et ... avec qui ?
– Devine.
– Avec Aline Leproult, peut-être ?
– Non.
– Avec Jeanne Beaudon, peut-être ?
– Juste !

On ne sait pas comment Jeanne Beaudon, c'est-à-dire Jane Avril, répond à cette publique « demande en mariage ».

La liaison de Jane et d'Alphonse est connue de tous. Lui qui habite alors 24, rue Victor Massé, sur le même trottoir que le Chat Noir, donne rendez-vous chez elle (la porte à côté de celle d'Emile Zola). En octobre 1892, il envoie ce « petit bleu » au dessinateur Albert Guillaume :

> *As-tu oublié que tu dînes ce soir 19, rue de Bruxelles, chez J.A.*
> *Tu as d'ailleurs, 13, rue Victor M[assé], un petit mot te rappelant cette entreprise.*
> *Demain entendu pour midi.*
> *A tout à l'heure.*
>
> A.A.

Quant à Raoul Ponchon, dans une chronique rimée du *Courrier français*, le 17 juin 1894, il s'adresse à Alphonse Allais à travers l'inventeur d'explosifs,

> *... un sieur Turpin, ton pâle satellite,*
> *Se pique d'avoir inventé la mélinite !*

Depuis 1892, Allais ne cesse de faire des signes à Jane dans ses contes. Dans *Gil Blas* du 27 juillet, où apparaît une certaine « Jane A... »; dans le même journal, le 26 septembre, par ce « P.S. » :

> *Reçu de Mme Jane Avril trente-cinq sous pour la petite nièce de ma femme de ménage. Merci et merci encore !*

L'année suivante, dans *Le Journal* du 18 juillet 1893 :

> *... Ils terminèrent leur soirée au Jardin de Paris où ils ne se lassèrent point d'applaudir cette merveille de grâce et de charme qui s'appelle Jane Avril.*

Toujours dans *Le Journal*, le 10 mars 1894, à propos de Jane Harding dont le nom a été écorché par les typos :

> *Et puis, vous vous appelez Jane, un nom que j'aime tant !*

Allais collabore régulièrement au *Journal* depuis sa fondation en 1892. C'est au bar du *Journal*, rue de Richelieu, près des boulevards, plutôt qu'à Montmartre, que Jane vient passer ses moments libres avec Alphonse. Elle y rencontre des journalistes : Jules Huret, Jean de Bonnefon (il est le seul à pressentir son origine italienne), Ernest La Jeunesse, Jean Lorrain, et y retrouve Oscar Wilde qu'elle a connu au quartier Latin. Eugène Letellier, le directeur du *Journal*, épaté par Jane, lui propose même d'écrire de petites chroniques, ce qu'elle est bien obligée de refuser. A la différence des autres veaux du Moulin Rouge, elle sait écouter ses amis artistes, écrivains et journalistes, mais les *Pensées* de Pascal ne sont pas, comme certains le prétendent, son livre de chevet...

> « Alphonse Allais, bien qu'humoriste, n'en était pas moins sentimental, à ses heures.
> Se mit-il pas en tête de m'épouser !
> Ç'aurait été un bien cocasse ménage... »

Pourquoi donc « un bien cocasse ménage » ? Ce grand gaillard blond aux yeux bleus et la rousse et fine danseuse aux yeux verts font au contraire un si beau couple qu'on doit se retourner sur leur passage. Bien sûr, le « ménage » ne tient que grâce à leur fantaisie réciproque. Pourtant, l'un comme l'autre sentent fléchir leurs convictions les mieux ancrées : Alphonse renoncerait volontiers à son goût des jeunes femmes blondes à la poitrine avantageuse; quant à Jane, elle ressent de plus en plus le besoin de se fixer, mais comment l'envisager avec un homme aussi excentrique et instable ? Alphonse Allais pour elle est un ami, un bon copain, même, avec lequel elle aime se promener dans Paris et partager sa passion des débits de boisson.

Elle refuse depuis longtemps en riant ses incessantes propositions de mariage, mais elle rit moins maintenant, tant il se fait pressant. Elle a pour lui une véritable affection, elle connaît la sensibilité qu'il dissimule si bien derrière son sourire, et pour rien au monde elle ne voudrait le blesser. Mais voilà : elle ne veut pas l'épouser...

Un soir, en la raccompagnant chez elle après un dîner bien arrosé entre amis, passant par l'avenue Trudaine, Alphonse se jette à ses pieds à la lueur d'un bec de gaz et la supplie, les larmes aux yeux, d'avoir pitié de lui. Sa position et ses pleurs font éclater de rire la pauvre Jane qui, dans une crise incontrôlable, se met à courir, riant et pleurant,

pleurant et riant, laissant éclater une de ces crises nerveuses qui, dans sa jeunesse déjà, l'avaient fait entrer à la Salpêtrière.

« Jane la Folle » se retourne pour s'apercevoir qu'Alphonse la poursuit en brandissant un revolver, jurant de la tuer et de se tuer : s'ils ne peuvent pas vivre, qu'au moins ils meurent ensemble !...

« J'eus quelque difficulté à l'apaiser », dit-elle en prétendant que, par la suite, il se blagua lui-même de son exaltation. Mais comment savoir de quelle façon ils se sont séparés ? Leur idylle dure depuis deux ans. Allais est très marqué par leur rupture. Le 10 janvier 1895, dans le *Journal*, lui, si rarement brutal, ne peut s'empêcher de décocher à Jane un méchant calembour :

> *La mélinite, détail peu connu des artificiers, fut inventée et surtout préconisée, si j'ose m'exprimer ainsi, par M. Teodor de Wyzewa.*

C'est bien la seule fois où l'on surprend Alphonse Allais laisser publiquement percer son dépit et sa jalousie. De son côté, il se marie en février 1895. Mais il n'oublie pas Jane ; dans *Le Sourire* du 28 octobre 1899, il esquisse ce portrait d'« un petit être fantasque, une menue créature pas jolie, si vous voulez, mais pétrie d'une telle grâce ! » :

> « Dans la journée, elle se promenait dans les rues de Montmartre, entrait chez ses amis les artistes afin de leur dire un petit bonjour et

d'accepter à déjeuner ou à dîner, lorsqu'on lui demandait bien gentiment – étant très fière –, et le soir, on la voyait au Moulin Rouge qui dansait, toujours seule, des pas de son invention, de son imagination, plutôt, de son rêve.

Et quand elle tourbillonnait ainsi, c'est à une fleur qu'elle ressemblait, une fleur dont vous vous seriez amusés à faire tournoyer la tige entre vos doigts, très vite.

On ne lui connaissait pas d'amants. [...]

Et rien n'était plus comique que de voir l'application que développaient [de] pauvres garçons à sembler plus rythmique que l'autre.

Car, être rythmique, il faut vous le dire, tout était là, pour la jeune fille.

Souvent même, elle déclara à des messieurs riches :

– Vous me dégoûtez, vous n'êtes pas rythmique !

Les messieurs riches riaient bêtement et concluaient : "Cette petite est folle".

Non, la petite n'était pas folle, c'est les messieurs qui étaient des imbéciles. »

Dans *Mes Débuts à Paris*, Maurice Donnay raconte qu'au printemps 1934, il assiste à un déjeuner organisé à la mémoire d'Alphonse Allais – qui aurait très bien pu le présider lui-même s'il avait vécu jusqu'à l'âge de quatre-vingts ans. Mais c'est Jules Lévy, le fondateur des Incohérents, qui préside :

« Parmi les convives, bien peu nombreux étaient ceux qui avaient connu le grand humoriste. Au dessert, quelqu'un se leva et lut une ballade dont le refrain était :

Il est lugubre, Alphonse Allais...

Ma voisine (c'était Jane Avril [66 ans]) et moi [75 ans] nous nous regardâmes avec stupeur. Lugubre, Alphonse Allais ! Certes, il ne riait jamais de ses propres plaisanteries, et rire de ce qu'on vient de dire, même si ce qu'on vient de dire est très spirituel, peut paraître d'un mauvais goût affreux. »

Le Jardin de Paris a été créé en 1885 par Joseph Oller dans les jardins des Champs-Elysées. Louis Bloch et Saquari écrivent alors :

« C'est le bal *copurchic* par excellence, destiné à remplacer à la fois le *Jardin Mabille*, qui était situé non loin de là, allée des Veuves, et le *Château des Fleurs*, dont l'entrée était sur la grande avenue ; mais ce dernier, ne pouvant lutter contre *Mabille*, son redoutable concurrent, n'a eu que quelques jours d'existence [...].

Le Jardin de Paris est à la fois concert, bal et fête foraine. On y trouve toutes les distractions possibles en un pareil lieu : un diorama, un théâtre de marionnettes, une scène pour les chansonnettes, des acrobates, des danseurs de cordes. Parmi ceux-ci, miss Ada, simulant une chasse à courre sur la corde raide, et tirant plusieurs coups de fusil, a été remarquée non seulement à cause de son adresse audacieuse, mais aussi et surtout par l'irréprochable harmonie de ses formes.

Dans le nombre de distractions de ce lieu de plaisir, nous ne devons pas passer sous silence les miroirs fantastiques qui se trouvent à gauche en entrant, près du vestiaire. [Ce sont trois grandes glaces déformantes dont la présence n'est pas encore très fréquente dans les lieux publics.]

Les danseurs ne sont généralement que les entraîneurs ordinaires, et servent eux-mêmes de spectacle au public choisi de la maison qui, lui, ne danse pas. Ces danseurs, que les lauriers des chorégraphes célèbres empêchent de dormir, se signalent par des excentricités inimitables. Ils y ont reçu des noms qui, répétés par les élégants, deviennent bientôt si connus que les curieux abondent pour admirer leurs exploits. La badauderie parisienne, qui ne perd jamais ses droits, s'extasie, et la caisse de l'établissement n'a pas de réclame plus féconde.

C'est ainsi que le Désossé, Caoutchouc, Balle-en-Gomme, Grille-d'Egout, la Goulue, Nana Sauterelle, Rayon-d'Or et beaucoup d'autres y ont amorcé la gloire »

... et deviennent, quatre ans plus tard, danseurs et danseuses au Moulin Rouge : le soir à 11 heures, un omnibus transporte maintenant de la place Blanche aux Champs-Elysées les gambilleuses du quadrille et leurs admirateurs désireux de finir la soirée au Jardin de Paris.

> « Nous ne reprocherons rien à ce lieu de plaisir. La sortie est calme et compassée ; beaucoup d'équipages de maîtres attendent à la porte, et les visiteurs peuvent dire le lendemain, à leur cercle, qu'ils se sont émancipés et sont allés au « Jardin de Paris ».
>
> Il est vrai que de très hauts personnages, d'austères magistrats et des artistes célèbres ne dédaignent pas de venir s'y distraire. »

Jane Avril laisse éclater le même enthousiasme :

> « C'était un lieu de plaisir où se rencontraient toutes les élégances.
>
> Que de folles et brillantes soirées j'ai passées là ! et quelles jolies chambrées ! [Dans l'argot du boulevard, c'est ainsi qu'on désigne une réunion de gens du monde, et non un dortoir de soldats.] La plus belle société y fréquentait les cercles les plus sélects : le Jockey, l'Union, l'Epatant, la Pomme de terre [le Cercle Agricole] y étaient représentés par un grand nombre de leurs membres chaque soir. »

Parmi eux, le marquis de Vogüe, le comte Jean de Berteux, le marquis de Pommereul, le comte Louis de Sabran-Pontevès, le marquis de Lillers, Willy Mackenzie, le marquis de Nicolaÿ, Georges

Gordon-Bennet, les Rothschild, tous admirateurs de Jane. Elle se souvient qu'un soir de grand steeple, au bras de « l'honorable C. Howied », alors son protecteur, elle aperçoit le prince de Galles, futur Edward VII, auquel Zidler tente de présenter la Goulue, paralysée par l'émotion.

Le 2 juin 1893, Toulouse-Lautrec écrit à André Marty, éditeur de l'Estampe originale, que le lendemain sera « affichée » sa nouvelle affiche, *Jane Avril, Jardin de Paris* (et non *Jane Avril au Jardin de Paris*, comme on l'écrit la plupart du temps) : dans trois lettres ou billets de juin 1893, il la désigne même tout simplement sous le titre *Jane Avril.* Il existe en effet des exemplaires de cette affiche qui ne portent que le nom de « Jane Avril » en caractères éclairés vraisemblablement dus à Lautrec. Le dessin des lettres des mots « Jardin de Paris » ne semble pas de la même main que le nom tant certaines lettres diffèrent (par exemple les « J » majuscules). « Le Jardin de Paris » est un repiquage effectué sur une affiche lithographiée pour Jane Avril seule, de façon qu'elle-même, ou un entrepreneur de spectacle, puisse l'utiliser pour d'autres salles de bal.

Le geste de la danseuse serrant son « paquet de linge » sous la jambe levée est celui qu'a saisi un photographe et dont s'est également inspiré Louis Anquetin dans une toile de la même année.

Cette affiche remporte un succès immédiat. Kleinmann en effectue des tirages sur papier plus épais, qu'il vend 10 francs pièce (somme que doit certainement dépenser le docteur Faustroll). Jules Roques, directeur du *Courrier Français* obtient l'autorisation de la reproduire sur une pleine page en noir, le 2 juillet 1893 avec la légende : « Affiche de M. Toulouse-Lautrec pour les débuts de Mlle Jane Avril au Jardin-de-Paris » ; puis, le 29 juillet, dans *L'Art français.*

Dans un numéro de *La Plume* consacré le 15 novembre de cette année-là à l'affiche illustrée, Frantz Jourdain s'écrie : « Bonne nouvelle ! On dit M. Lautrec occupé à une autre lithographie murale : La Mélinite. »

Ernest Maindron écrit en 1896 dans *Les Affiches illustrées* :

> « Voici "Jane Avril", étrange dans sa robe jaune et rouge. Je ne sais pourquoi je trouve cette œuvre poignante. L'expression du visage est d'une inouïe tristesse. On sent la lassitude, on y voit que la jeune femme danse pour notre plaisir et non pour le sien, on y lit comme le désir mal contenu de s'évader de cette existence où le public blasé prend une trop grosse part. »

... Alors que Jane prétend elle-même ne danser que pour son propre plaisir et qu'elle néglige, tant sa concentration est profonde, d'arborer le sourire niais des danseuses de ballet ! Il est décidément bien difficile de savoir pourquoi Jane ne sourit pas à ceux qui le voudraient.

C'est le moment que choisit Paul-Jean Toulet pour entrer au Jardin de Paris avec un ami :

« Mais où est donc Mélinite, que nous annoncent les affiches ?

Le kiosque nous la cachait. Nous tournâmes, et le quadrille acheva son cycle immuable, que, presque seule, Mélinite, *alias* Jeanne [*sic*] Avril, égayait de l'agitation ondoyante et coudée de ses jambes minces.

Un peu plus tard, après l'intermède d'un cake-walk, elle valsa toute seule. Vêtue d'une robe sombre et plate mais très cintrée en bas, qui se relève en volute sur des jupons rose et vert-de-gris, elle a l'air, dans son tournoiement rapide, d'on ne sait quoi de volubile et d'harmonieux, où, depuis les cheveux jusqu'à la pointe des pieds, tout vibre d'ensemble. On la suit des yeux comme un de ces tourbillons qui trouent, sans le troubler, le cristal d'un fleuve. Mais alors et soudain, elle s'évade de son propre rythme, le brise, en crée un autre ; et ne paraît jamais lasse, elle-même, de s'inventer. »

Pour ses débuts au Jardin de Paris, Jane Avril interprète des numéros de « danses à transformations » dont nous ne savons rien, sinon qu'elle a dessiné ses costumes. Ces danses sont précédées de chansons et elle a écrit le 11 avril, de la part de Lautrec, à un ami qui pourrait lui apporter « quelques chansons anglaises dont les airs seraient jolis. » Mais

« ma jolie voix de jadis s'était hélas éteinte, et je débitais mes couplets comme une... perruche ;

heureusement mes danses arrangeaient tout et me valurent un flatteur et franc succès. »

Cet engouement des chansons anglaises est dû au succès de *Tha-ma-ra-boum-di-hé*, chanson mimée par Mlle Duclerc aux Ambassadeurs, et Polaire aux Folies-Bergère en 1892. Elle passe pour un « rythme nègre », mais la musique est due à Henry J. Sayers, arrangée par Edouard Duransart, paroles françaises de Fabrice Lémon; ce qui est certain, c'est qu'elle a été créée en septembre 1891 par miss Lottie Collins dans un théâtre d'Islington, faubourg de Londres.

Tha-ma-ra-boum-di-hé (bis)
Mon p'tit, sans t'épater
Comm'moi faut gigoter.
Tha-ma-ra-boum-di-hé (bis)
Chahuter, chahuter,
N'y a qu'ça pour bien s'porter.

D'après la *Revue Encyclopédique*,

« *Ta-ra-ra-boom-dee-ay* [c'est le titre anglais...] est lancé en explosion de dynamite [...] par les suaves lèvres roses des divettes anglaises, avec dislocation de leurs tailles de guêpe, contorsions de leurs divines épaules, furieuses cascades de leurs luxuriantes boucles blondes et des plumes de leurs adorables chapeaux Directoire ou Gainsborough, et suggestifs ébats de leurs jambes idéales au milieu du bouillonnement de crème fouettée dont les dentelles de leurs jupes soulevées donnent l'appétissante illusion. »

Steinlen surprend Jane Avril aux Ambassadeurs écoutant la trépidante Duclerc. Il en fait la couverture du *Mirliton*, la feuille du cabaret d'Aristide Bruant.

Le quartier des Champs-Elysées va se trouver bouleversé entre 1896 – date à laquelle est posée par le tsar Nicolas II et le président Félix Faure la première pierre du pont Alexandre III – et 1900 qui voit se construire, pour l'Exposition Universelle, le Grand Palais et le Petit Palais de part et d'autre d'une avenue nouvelle, l'avenue Alexandre III (aujourd'hui avenue Winston Churchill). Le Jardin de Paris est transféré en 1898 entre le restaurant Ledoyen et la place de la Concorde, à l'emplacement de l'ancien café-concert de l'Horloge où, sous la direction du couple Debasta, Yvette Guilbert a remporté ses premiers succès. Le kiosque est toujours là, avec la chaussée circulaire où se trémousse le quadrille, à l'ombre des grands arbres qui abritent aussi une petite scène, des stands de tir, des toboggans, un petit bal, un ring (la boxe devient populaire), un bowling, un salon de photographie et même, dans les premières années du nouveau siècle, un cinématographe. C'est ce second Jardin de Paris qu'évoque le roman de Willy, *La Môme Picrate*.

Sous ce titre explosif, Armory écrit ce roman pour le compte de Willy, auquel il reproche seulement d'avoir ajouté « des histoires de salles de garde » à l'asile de Villébreu (Villejuif), sans les quelles, reconnaissons-le, l'intrigue serait bien mince.

Armory, de son vrai nom Carle Dauriac, avait composé son propre pseudonyme en ajoutant un « y », terminaison alors à la mode, au nom de sa Bretagne natale, l'Armor. Il avait d'abord choisi celui de Rodolphe de Kernadeck, bien proche du nom de son héros de roman, Yves de Kerkrist. Il ne cache d'ailleurs pas, dans ses souvenirs de *50 ans de vie parisienne*, son « amitié » pour Jane Avril.

En 1903, au moment où ce roman paraît chez Albin Michel sous une couverture de J. Vély (une édition populaire, dans la collection « Le Roman-Succès », paraîtra plus tard avec une couverture et des illustrations d'Emmanuel Barcet), Jane Avril a trente-six ans. A part la description du Jardin de Paris et de la danse de « Picrate », on retiendra seulement du roman que celle-ci avait été « initiée » par un peintre belge, Joris Van Tyldonck (Teodor de Wyzewa que Willy, alors Henri Gauthier-Villars, a connu au quartier Latin où sa liaison avec Jane était de notoriété publique), et qu'elle devient la maîtresse d'Yves de Kerkrist dont elle ruine la santé. Ce n'est guère élégant, tout cela, de la part de Willy, et surtout de celle d'Armory, mais c'est ainsi qu'on écrit, au début de ce siècle, avec ses souvenirs, des romans légers de bonne vente : à la limite du scandale, le procès, quand il a lieu, assurant le succès.

C'est encore la danse de Jane Avril qui fait l'intérêt de ce roman :

> « ... Ensuite les violons recommencent à câliner des rythmes ternaires, et le public se replie

aux alentours de la danse. Une valse, de nouveau, *Polaire-Valse*, giration de farniente – Poulalion l'édite – languidement annoncée par quelques accords paresseux. [...]

Une jeune femme s'élance, fend la foule, et monte toute seule sur le kiosque où elle se met à tourner, tourner encore, tourner toujours sous les yeux des spectateurs qui l'encerclent. Elle est vêtue simplement, presque humblement, d'une robe havane (toile nationale à 85 centimes le mètre) qui la moule. Mais la jupe est fée, et, peu à peu, en virant, s'élargit, s'élargit, devient cloche; on ne distigue plus qu'un tout petit buste nerveux sortant d'un bourdon de soie qui bourdonne. [...]

De la sorte, extériorisée, elle s'adonne, toute, au plaisir d'au delà, sans compter que ses coudes en angles servent d'agents moteurs à la rotation, branches de régulateur, on dirait. [...]

La valse se précipite, la danseuse aussi. Deux ou trois sauts, laissant voir le développement de longues jambes de soie noire, et la jeune femme, prenant à pleins bras le mol amas de ses jupons, renonce à tourner pour bondir, pour escalader des obstacles supposés, dans une vertigineuse gymnastique de démence. [...]

La danseuse qui, seule, depuis un long temps, accapare les émois du public, presse cette fin (elle guigne d'ailleurs l'archet victorieux du chef d'orchestre); et, pour se faire pardonner l'érotisme de ses trémoussements, elle tasse à présent ses jupes et, en un bercement ponctué par le rythme de *Polaire-Valse*, les dodeline, sérieuse, quasi-maternelle. [...]

Symphonique, donc – pourquoi pas ? –, Picrate [...] redevient toupie ronflante, bourdonnante et bourdon. Ses bras ballants, obliques, tournent; ses longues mains pâles où Lère-Cathelin et Bluze ont mêlé leurs éblouissements à bon compte, ses mains tournent. Tout tourne... »

Cette *Polaire-Valse* a été récemment fabriquée par un professionnel du genre en hommage promotionnel à Polaire, la chanteuse de café-concert à la taille de guêpe (genre « épileptique »), amie de Willy et de Colette, interprète de *Claudine* à la scène.

Certains ont vu Jane Avril solitaire quitter mélancoliquement le Jardin de Paris, comme les toiles de Lautrec la montrent sortant ou entrant au Moulin Rouge. Il serait étonnant qu'elle sorte toujours seule, et le portrait d'Henri Somm par Toulouse-Lautrec pour *Les Hommes d'Aujourd'hui* la représente en compagnie de Lautrec lui-même, de Tapié de Céleyran et d'un troisième comparse, s'éloignant d'un lieu de plaisir, Jardin de Paris ou Moulin Rouge, et se dirigeant certainement vers un autre, Moulin Rouge ou Jardin de Paris. Un soir, elle accepte d'être reconduite en fiacre jusqu'à sa porte par le poète Catulle Mendès et son amie du moment; elle parvient à se dégager de leurs caresses un peu trop empressées en leur promettant sa visite pour le lendemain – quitte alors à excuser son absence par un petit bleu. Jane Avril a toujours tenu à se montrer bégueule. Elle se souvient qu'elle est fille d'une « modiste » de la fin du Second Empire, c'est-à-dire d'une femme entretenue, sinon tout à fait d'une prostituée. Elle ne sait pas ce qu'est devenue sa mère : peut-être a-t-elle fini sur le trottoir, comme certaines tapineuses qui la fascinent : cette superbe fille qui part en chasse sur les boulevards, noire de cheveux, aux grands yeux bruns, à peine vêtue d'une mince jupe noire et d'un corsage de même couleur, « si léger que la pointe de ses seins se dressait au travers du tissu ». Autre silhouette, celle de « Madeleine-Bastille », ainsi surnommée parce qu'elle suit inlassablement le parcours des boulevards. Elle n'apparaît qu'aux lumières et marche jusqu'aux dernières heures de la nuit. Grande et distinguée, elle boîte légèrement; très âgée, sans doute, elle ne manque jamais de montrer à ses clients une photo de sa jeunesse.

Jane signale aussi, dans le quartier de l'Opéra, de minuscules boutiques dont les vitrines exposent des bouteilles de champagne : dans l'arrière-boutique, de très jeunes vendeuses essaient à de vieux messieurs des gants qui leur coûtent fort cher.

Les dernières « professionnelles beautés » qui n'ont pas trouvé preneur aux promenoirs des Folies-

Bergère envahissent les cafés de nuit : Sylvain, Pilzen, le café Américain.

Qui Jane Avril cherche-t-elle à retrouver en évoquant ces souvenirs ?

Le commerce de la galanterie ne se limite pas aux grands boulevards. Le Bois de Boulogne est déjà et sera toujours un lieu de prostitution. Mais, à une époque où l'on se déplace uniquement à cheval (la bicyclette est un sport, l'automobile un luxe), il est aussi de bon ton de s'y montrer de quatre à sept en une longue file d'équipages attelés des plus beaux chevaux, qui suit l'allée des Acacias jusqu'à la Cascade, croisant la file de ceux qui en reviennent. C'est ce qu'on appelle « faire son persil », sans que l'expression ait obligatoirement le sens de racolage que lui donnent les argotiers. Evidemment, les cocottes de luxe croisent des femmes du monde qui les dévisagent avec curiosité. On voit de tout, au Bois, y compris un vieux couple comique, « le Pou et l'Araignée ». Des cavaliers saluent discrètement les mondaines et les demi-mondaines.

Une camarade de Jane, Louisette de Senneville, qui rêve d'être accueillie au Gotha du demi-monde, a loué une « urbaine » avec son cocher et l'entraîne quelque temps aux Acacias ; elles suivent elles aussi la file des persilleurs, jusqu'au retour par l'avenue du Bois (avenue Foch), la place de l'Etoile, l'avenue des Champs-Elysées ; la parade prend fin et se disperse place de la Concorde devant le « Club des Pannés ».

Le succès de Jane au Jardin de Paris entraîne des propositions de contrats pour l'étranger. On la demande à New York, à Rome, à Vienne, à Copenhague, en Russie même où boyards et grands-ducs sont friands de chair fraîche. Jane refuse toutes les propositions : un seul pays l'attire, c'est l'Angleterre.

En attendant, elle trouve en France de quoi s'occuper. Jean Oller, le frère de Joseph Oller, le créateur, a pris en septembre 1892 la succession de Zidler au Moulin Rouge; il entoure Jane des mêmes soins et de la même prévenance que son prédécesseur.

Au cours de l'année 1894, Jane Avril découvre un nouveau sport à la mode, le patinage, au Palais de Glace qui vient d'ouvrir aux Champs-Elysées, installé en lieu et place d'un Panorama (c'est aujourd'hui le théâtre du Rond-Point). Du 1er octobre à fin mars, on y patine sur de la glace, le matin en famille, le soir en galante compagnie :

> « C'est un endroit où l'on se croise sans se rencontrer – hors de la piste, tout au moins – car il y a des heures et des jours tacitement réservés aux uns et aux autres. »

Lyane de Lancry, « professional beauty », en est la vedette. (Lautrec la croque à la dernière page du *Rire*, le 16 janvier 1896, au moment où elle s'approche d'Edouard Dujardin, venu en spectateur). Jane s'adonne aussi aux délices de la valse sur patins à roulettes au Skating de la rue Blanche.

Attiré par Jane aux Décadents, un café-concert de la rue Fontaine dont Jules Jouy assure la direction artistique, Lautrec y découvre une chanteuse irlandaise, May Belfort, qui vit à Paris avec May Milton. Il fait plusieurs portraits d'elle sur scène, et une affiche.

De tous les bals et cafés-concerts où danse Jane Avril, les Folies-Bergère est le music-hall le plus fréquenté et le plus élégant. Jane est une fervente admiratrice des ballets pantomimes où elle applaudit Félicia Mallet, Fordyce, Mévisto.

En septembre 1893, un écho paru dans le *Fin de Siècle* annonce que la « douce Jane Avril » y débute dans la pantomime sous la direction d'Edouard Marchand. Le mois suivant, dans son numéro du 17 octobre, *Le Courrier Français* rend compte de la réouverture du music-hall :

> « Les Folies-Bergère ont fait une toilette soignée pour leur réouverture qui a été l'événement brillant de la rentrée. Le hall, très embelli, avec des enjolivements délicats, est couvert d'un immense tapis bleu. Les glaces sont encadrées de jolies moulures; les ors sont en quantité suffisamment restreinte; on a évidemment tâché d'éviter les lourdeurs du luxe criard. Une innovation : le rideau du concert est en velours et s'ouvre par le milieu, de façon à encadrer la scène avec beaucoup de grâce.
>
> Le spectacle est digne des magnificences dont M. Marchand s'est plu à éblouir son public. Nous trouvons là de très bons numéros, savamment présentés et bien mis en scène... »

Les « très bons numéros », au cours de ces années-là, sont Little Tich, le chanteur Harry Fragson, la diseuse Esther Lekain, les Sisters Barrison, miss Campton, miss Sabaret, les Sheffers, acrobates sauteurs, les Agoust, jongleurs, et Baggessen, le casseur d'assiettes qui rate adroitement tous ses coups... Mais aussi, bien sûr, la Loïe Fuller et la danse Serpentine.

> « La soirée est terminée par le charmant ballet de *l'Arc-en-ciel.* Tout un essaim de fées, charmeuses, enjôleuses, jolies à croquer, représente les couleurs de l'arc-en-ciel : de légères étoffes gracieusement drapées, d'une nuance d'une exquise délicatesse, les couvrent ; c'est un spectacle de gourmet, et, puisqu'il s'agit de fées, il est vraiment féerique. Mlle Campana, légère comme un oiseau, danse à ravir des pas originaux. Mlle Lamothe est une adorable Colombine. Mlle Jeanne [*sic*] Avril est un Pierrot bien distingué. Spectacle délicieux qui "fera courir tout Paris". »

Pour ce ballet-pantomime de René Martin, musique de Desormes, Chéret réalise une affiche dont le Pierrot ne ressemble guère à Jane.

Elle a beau faire l'admiration de tous, quand le dessinateur Lunel représente sur une page du *Courrier Français* les « Etoiles de la danse en 1893 », il n'en dessine que trois : la Loïe Fuller, la Macarona et la Goulue. C'est surtout dans le numéro de *L'Art*

Français du 29 juillet, consacré par Arsène Alexandre à Toulouse-Lautrec, que l'on voit Jane Avril. Ses admirateurs sont des peintres, des poètes, des artistes, des écrivains, plus encore que les cercleux qu'elle aime fréquenter et que le grand public qui remplit les salles.

Ses amies ne font jamais en vain appel à Lautrec. Le 6 avril 1895, la Goulue, qui a cessé de danser dans le quadrille avec la Môme Fromage, Nini Patte-en-l'air, Grille-d'Egout et la Torpille, pour s'exhiber seule, vêtue en almée, lui écrit pour lui demander, « si tu as le temps », de lui « peindre quelque chose » pour sa baraque de la Foire du Trône. Sur le panneau de droite est réuni tout un groupe d'amis : Paul Sescau, Maurice Guibert, Gabriel Tapié de Céleyran et, encadrés par Oscar Wilde et Félix Fénéon, Jane Avril en compagnie de Toulouse-Lautrec qui lui arrive à peine à l'épaule.

L'année suivante, c'est Jane qui fait appel à Lautrec. Elle va réaliser son rêve : danser en Angleterre. Elle lui écrit le mercredi 15 janvier 1896 après une traversée très mauvaise sur le *Dieppe*, pour lui confirmer la commande d'une affiche de la troupe de Mlle Eglantine dont ils ont déjà convenu, car Lautrec est en possession d'une photographie :

> « Pour le texte, voici ce que Mme Eglantine m'a dit : Troupe de Mme Eglantine 1 Eglantine 2 Jane Avril 3 Cléopâtre 4 Gazelle "Palace Théâtre". Maintenant, vous arrangez

ça selon votre goût tout en nous conservant les places 1 2 3 4 ci-dessus. En y réfléchissant, il vaut mieux ne pas mettre “Palace Théâtre”, car nous irons sans doute dans d’autres établissements et, de cette façon, ça nous servira partout. »

Jane demande à Lautrec de répondre « de suite, please », car le ballet débute le lundi 20 au soir – dans cinq jours ? – « et nous aimerions à ce qu’on vit [*sic*] notre affiche un peu d’avance »... De qui se moque-t-elle ? Elle se trompe de date, et c’est seulement le mois suivant, à la mi-février, que l’affiche de Toulouse-Lautrec sera tirée et vendue chez Kleinmann, à Paris.

Formée à l’école de Nini-Patte-en-l’air, Eglantine Demay a constitué sa propre troupe de quatre danseuses qui ne se retrouvent pas sur l’affiche dans l’ordre exact demandé par Jane, mais dans celui-ci : Jane Avril, la rousse Cléopâtre, Eglantine brune et mince, et Gazelle à la peau brune et aux cheveux bouclés. Quand on sait que ce quadrille n’eut guère de succès et que le public marqua nettement sa préférence pour Jane et Eglantine, provoquant la jalousie de Cléopâtre et de Gazelle jusqu’à la dispersion de la troupe, on imagine que l’ordre d’entrée en scène des danseuses devait revêtir à leurs yeux une importance particulière. Seule la diplomatie de Morton, alors directeur du Palace Théâtre, parvient à apaiser ces demoiselles susceptibles.

Jane ne renouvelle pas le contrat qu’on lui propose à Londres et se fait engager avec ses compagnes dans la troupe anglaise du ballet « Swallows » (les Hirondelles) sous la direction du capitaine Clarmond. Jane Avril est revenue au Moulin Rouge où l'orchestre l'accueille en jouant « Plaisir d'avril ». Dans une lettre de mai 1896 à son frère Georges Louis, faisant allusion aux compliments qu'on lui adresse après l'article de François Coppée sur *Aphrodite*, Pierre Louÿs ajoute :

> « Une chose qui m'a fait plus de plaisir et plutôt plus d'impression – c'est bête mais tu comprendras : l'autre soir avec un ami [au Casino de Paris, précise Jane de son côté], je rencontre une danseuse qui dansait autrefois seule un pas très original sur la scène des Folies-Bergère, et qui s'appelle Jane Avril (parce qu'elle a été la maîtresse de Wyzewa qui était l'ami de Mme de Bonnières). Je la connaissais depuis trois ans mais elle ne savait pas mon nom, et en m'entendant nommer par mon ami, elle a eu un tel sursaut ("Comment, c'est vous P.L. ?... Vrai, c'qu'on parle de vous en ce moment !") que je me suis dit pour la première fois : "Ça y est !" Et pour terminer la scène, elle a ajouté : "Je suis contente que je ne l'aye (*sic*) pas su ça m'aurait intimidée". »

Ce mois-là a lieu la reprise au Vaudeville de *Lysistrata*, la pièce de Maurice Donnay dont la première eut lieu au Grand Théâtre en décembre 1892. Dans son *Pall-Mall-Semaine* du 5 mai, Jean Lorrain note à propos de la répétition générale :

« Un essaim de jolies femmes : Drunzer, Lucy Gérard, [Cécile] Sorel, [Jane] Avril [dans le rôle de Myrrhine], Melcy, Buskell, toutes déshabillées dans les tuniques les plus transparentes, les épaules serties de camées, les seins apparus entre des résilles d'or, toutes offertes à la manière d'idoles, les tempes écrasées de plaques de métal orfévré : une vision de volupté que cette fête chez Salabana, réglée par Mme Mariquita pour la plus-value de nos plus fins Tanagra de boudoir ».

Malheureusement, la distribution imprimée sur le volume publié chez Ollendorf indique : « Suzanne Avril ». Alors ? Anne, Jane, Suzanne ?

La même année, Jane va cette fois vraiment danser sur une scène. Lugné-Poe, fondateur du Théâtre de l'Œuvre, par opposition au Théâtre Libre Naturaliste d'André Antoine, monte en 1896 le poème dramatique de Henrik Ibsen, *Peer Gynt*, dans la traduction de Prozor, décors d'Edouard Munsch et partition de Grieg, orchestre de soixante exécutants dirigé par Camille Chevillard. Suzane Després en est la vedette ; le rôle de Peer est tenu par Abel Deval.

C'est Lugné-Poe lui-même qui négocie avec Oller le congé provisoire du Moulin Rouge de Jane Avril pour tenir le rôle d'Anitra. Mais on peut se demander si Alfred Jarry, qui est secrétaire-régisseur au Théâtre de l'Œuvre, n'est pas intervenu dans ce choix. Faire appel à une danseuse du Moulin Rouge pour assurer la chorégraphie d'une pièce hautement symboliste, tout comme il fait appel un mois plus tard à Louise France, entendue dans son répertoire de « chansons rosses » au cabaret du Carillon, pour interpréter le rôle de la mère Ubu, est bien dans les goûts de Jarry pour les personnages de théâtre.

Est-ce lui qui a réduit à une seule scène l'épisode d'Anitra ? Malgré les remaniements apportés à l'original, la représentation dure encore quatre heures. La scène des Trolls, réécrite par Jarry qui tient le rôle du Vieux de Dovre, roi des Trolls, passe très bien la rampe : Jarry se souviendra d'eux en donnant le nom de Faustroll à un savant né vieux (ce qui règle le problème de Faust) qui expose chez lui l'affiche de Jane Avril au Jardin de Paris.

Jane se montre consciencieuse : elle assiste aux interminables répétitions de textes, au point qu'elle finit par connaître tous les rôles par cœur – mais sans jamais se joindre sur scène aux acteurs ni répéter son propre rôle : elle compte improviser comme elle le fait au Moulin Rouge. Lugné-Poe lui fait confiance. Pourtant, dit-elle :

> « la capricieuse musique de Grieg, son rythme imprévu déconcertait mon oreille [...]. Le charme de la musique opéra ; j'ai dansé, sans en avoir conscience, un sourire figé aux lèvres, que le son du canon n'aurait pu interrompre, et mon cœur qui battait, battait ! »

Francisque Sarcey, qui assiste à la première, écrit dans son feuilleton du *Temps*, le 16 novembre :

« Les premières scènes où le caractère est exposé sont vraiment jolies. [...] Mais nous allons entrer dans le symbole. Le symbole fait son apparition avec la femme verte [...]. Il paraît qu'elle symbolise le vice. J'ai cru démêler – car, à partir de ce moment, nous marchons à tâtons dans les ténèbres du symbole – qu'elle lui proposait d'être le roi des Trolls en l'épousant. Si je me trompe, ne m'en veuillez pas. Tous mes voisins nageaient dans les mêmes incertitudes... »

Plus loin :

« Cette scène est encore, m'a-t-on dit, profondément symbolique. Moi je veux bien [...]. [Peer a] trouvé la robe du prophète et il est tenu par la population du lieu pour un prophète, ce qui lui semble très agréable. Il a autour de lui trois ou quatre femmes dont une, qui est fort gracieuse, lui danse la danse du ventre. [...] Il offre à sa danseuse, qui répond sur le programme au joli nom de Jeanne [*sic*] Avril, le cadeau qu'elle voudra choisir. Elle lui demande la topaze qui agrafe la robe du prophète. Il comptait lui offrir une âme, son âme apparemment ! La vulgarité de cette demande l'écœure, il jette sa robe de prophète aux orties.

Je vous préviens que cette scène est encore d'un profond symbolisme. Reste à l'expliquer. [...] Ce qui est agaçant, c'est l'enthousiasme (vrai ou simulé) dont ces pauvretés exotiques affligent toute une partie du public. »

Jane se demande comment le public a pu entendre les quelques mots qu'elle adresse à Abel Deval, tant elle a le trac.

En tout cas, elle ne passe pas inaperçue. Camille Mauclair écrit dans la *Revue Encyclopédique* :

> « Une mention spéciale est due à la mignonne Jane Avril qui a dansé la danse d'Anitra avec la grâce la plus déliée. »

La danse d'Anitra, improvisée sur place par Jane Avril, fait ce soir-là l'objet de trois rappels !

A la sortie, elle est assaillie de compliments. Reynaldo Hahn la félicite, et Francisque Sarcey, auquel on la présente, lui tourne un madrigal :

« – Mademoiselle, vous êtes la seule que j'aie comprise dans la pièce... »

Elle reçoit même d'un certain Pierre Charron (un sceptique, sans doute) un sonnet qui la ravit tant qu'elle le gardera toute sa vie :

A Madame Jane Avril
En souvenir de la danse d'Anitra.

Berçant avec langueur ton corps souple et charmant
Au rythme délicat de ta danse indolente,
Tu sembles une fleur balancée, troublante
Au souffle du vent chaud qui l'endort doucement.

On n'entend qu'un frisson et qu'un frémissement
D'ailes de gaze et d'or. Une flûte riante
D'une exquise chanson accompagne, troublante,
De ton corps éperdu l'amoureux tournoiement.

Entre deux rouges fleurs éclatent tes yeux d'ombre,
Mystérieuses fleurs! Brûlure ardente et sombre!
Et voici qu'en un rêve éclatant et vermeil

J'évoque dans mon cœur qui s'enivre et se pâme
La grâce de ton nom où semble vivre, ô femme!
Le Printemps plein d'amour, de rire et de soleil!

Lugné-Poe engagera encore Jane Avril pour les chorégraphies de ses spectacles, et Armory se souvient de tournées théâtrales dans le Midi – Orange, Nîmes, Béziers ... – où Jane danse pieds nus au son d'une lyre et d'une flûte dans le théâtre antique d'Orange, et finit par s'endormir à la belle étoile parmi la lavande et le thym.

Dernières valses

Dans ses souvenirs, Armory classe Jane Avril dans la catégorie des « filles de Satan, folles de leur corps, passant pour ne savoir que vivre la minute. » Quant à Jane, elle ne cache pas qu'elle eut, comme cette Madame Arthur que chante Yvette Guilbert, « une foule d'amants » :

> « Combien de ceux qui m'ignoraient me jugeaient susceptible de procurer des sensations rares et compliquées...
>
> Mes yeux cernés m'attiraient bien des désirs – que je n'ai jamais satisfaits, tant j'eus toujours horreur du désir brutal, du vice et de tout ce qui en approche. »

On la soupçonne de faire usage de stupéfiants ; la morphine, l'opium, l'éther sont les drogues à la mode et font des ravages aussi bien chez les esthètes que chez les prostituées.

> « En réalité, j'étais seulement une aimante, avec un immense besoin d'épancher toute la tendresse que la nature avait mise en moi, avec

des trésors de délicatesse et de douceur que toujours je dus réfréner, car il m'aurait fallu les distribuer à bon escient et les occasions de le pouvoir faire sont si rares ! »

La vie amoureuse de Jane Avril est des plus tumultueuse. Si l'on s'en tient seulement aux noms qu'elle cite, aux personnages qu'elle évoque, nous avons déjà rencontré au bas mot une douzaine de ses amants, sans compter les passades. C'est surtout dans la haute bourgeoisie qu'elle fait des ravages. L'un de ces riches héritiers tient tellement à la « réhabiliter » – ce dont Jane n'a cure, car elle ne s'estime pas du tout déchue – qu'elle ne l'appelle plus que « la gomme à effacer. »

Très courtisée, Jane reconnaît qu'il lui arrive à elle aussi d'aimer, « chaque fois différemment. A ce titre j'espère qu'il me sera baucoup pardonné, malgré qu'au fond je ne m'en soucie guère », ajoute-t-elle, car elle tient à ce qu'on sache qu'elle n'a pas et n'aura jamais la foi.

Un de ces amants qui retient son cœur « une longue saison », est un des bâtards du Prince Napoléon-Jérôme, dit Plon-Plon, fils du roi Jérôme. Malheureusement, il est joueur; et il perd. La princesse Mathilde, dont il est le protégé, charge son banquier de lui couper les vivres et de lui faire quitter Paris. Le voilà contraint à l'exil... à Marly-le-Roi, dans une de ses propriétés, avec interdiction de venir dans la capitale. Désespéré de devoir se séparer de Jane, il lui propose (lui aussi !) de mourir ensemble.

« C'est moi, écrit Jane, qui me rendais presque quotidiennement vers lui et, peu à peu, lentement et tendrement, nous arrivâmes jusqu'à la fin du gentil amour, qui s'éteignit doucement. »

Jane supporte de plus en plus difficilement de recevoir un salaire régulier pour danser; heureusement, elle jouit encore d'assez de loisirs pour se donner toute entière à l'ivresse de la valse. Les échecs de sa vie amoureuse, et le sentiment qu'un jour, inéluctablement, elle perdra sa souplesse et sa légèreté, l'inquiètent et lui font déplorer son instabilité. Tous les moyens lui semblent bons pour se distraire des contraintes du quadrille et de sa présence au Moulin Rouge.

Elle danse maintenant chez les riches au profit d'œuvres de charité, ou devant les malades des hôpitaux. C'est ainsi qu'elle revient à la Salpêtrière. « Bobotte » n'est plus là, mais elle retrouve quelques infirmières et des médecins qui reconnaissent l'adolescente fragile qu'ils ont soignée. La foule tragique des malades et des folles est si poignante qu'elle s'enfuit presque en courant dès qu'elle a fini de danser.

Les souvenirs mélancoliques de sa jeunesse la poursuivent jusqu'à ce qu'elle décide de retrouver les traces du passé. Elle revient devant l'immeuble où habitait sa mère, elle entre dans la cour; la concierge n'est plus la même, et Jane sort sans lui demander si « la belle Elise » habite encore ici. Son pèlerinage chez les Demoiselles Désir n'est pas plus heureux : la vieille dame qui lui ouvre la porte n'en a jamais entendu parler et ne peut lui dire ce qu'elles sont devenues. Jane passe sans ressentir d'émotion devant le nº 27 de la rue Gay-Lussac. Rue Monsieur-le-Prince, le café où l'avait accueillie la Grande Marcelle est toujours là, mais vide de fantômes : dans la plus pure tradition réaliste, la Grande Marcelle a été surinée par son Jésus, un nommé P'tit Louis, qui a été proprement poussé au petit matin sur la bascule à Charlot.

Jane est affectée d'une fluxion dentaire et rencontre Toulouse-Lautrec qui éclate de rire en voyant sa joue enflée :

– Sans blagues... enceinte ?

Lautrec ne croit pas si bien dire. Une rencontre insouciante au lendemain de la première de *Peer Gynt* oblige Jane Avril à disparaître une année. « Le temps de couver... un fils », dit-elle simplement.

Elle est restée très mince, et un ami qui la rencontre la compare à un fil auquel on aurait fait un nœud.

Jean, Pierre, Adolphe naît à Paris-17e le 17 juillet 1897. Il porte le nom de sa mère, comme elle-même celui de la sienne : dans la famille Beaudon, les femmes transmettent le nom, les pères sont inconnus.

Jane prétend que Teodor de Wyzewa lui propose encore de l'épouser pour légitimer son petit garçon ; mais, cette fois, elle en rajoute un peu trop, car il est marié depuis trois ans et a lui-même une petite fille...

Le petit Jean est élevé en Normandie par des parents nourriciers chez qui Jane vient le voir chaque semaine en le couvrant de cadeaux, ce dont il ne semble pas se soucier. C'est un enfant de constitution délicate, comme l'a été sa mère, et d'un caractère renfermé. Jane sent qu'il lui échappe et se réfugie encore dans la danse.

Au cours des premiers mois de 1899, Toulouse-Lautrec entre à la clinique du Docteur Sémelaigne, à Neuilly, dans la Folie Saint-James, pour une cure de désintoxication. Ses deux dernières affiches sont pour Marthe Mellot à sa demande (*La Gitane* de Jean Richepin, au théâtre Antoine), et celle sur laquelle Jane Avril porte une robe au serpent qui l'enlace. Cette affiche n'a, semble-t-il, jamais servi. On lit sous le monogramme de Lautrec le millésime : 1899. C'est la seule pour laquelle il a employé le procédé d'impression des couleurs « à l'encrier » qu'utilisent généralement les imprimeurs typos pour colorier à bon compte les placards annonçant les fêtes populaires et les compétitions sportives. Est-ce Jane qui lui a demandé elle-même cette affiche inutile ? Ou est-ce lui qui a voulu faire un cadeau à son amie et célébrer en elle le serpent de la danse ? Jane, toujours prête à décrire les toilettes qu'elle porte à la scène, ne parle nulle part d'un serpent brodé sur sa robe. Elle écrit avec simplicité qu'il la lui « offrit avec quelques toiles ».

Ils ne se reverront plus : Henri de Toulouse-Lautrec meurt le 9 septembre 1901.

Bien sûr, ses amants l'ont grugée. Elle a raconté que son portrait de Renoir ayant disparu en même temps que des bijoux de valeur, le peintre avait reçu la visite d'un personnage lui demandant, de la part de Jane, de bien vouloir signer sa toile. Renoir, méfiant, avait refusé, dit-il à Jane, prétextant que ce portrait était un faux grossier. L'anecdote avait dû bien amuser le peintre; pour Jane, ce n'était guère une consolation de savoir qu'elle ne reverrait jamais son portrait par Renoir, signé ou non.

En mûrissant, Jane se tourne de plus en plus vers les ballets mimés, le mime et le théâtre. Le comédien Lucien Guitry, père de Sacha, la recommande à Pierre Decourcelle pour lui confier un rôle dans *Les Deux Gosses* dont il envisage la reprise à l'Ambigu. Ou bien encore elle se voit proposer de débuter aux Bouffes du Nord. Mais Jane a vite fait de comprendre qu'elle n'a aucune disposition pour les rôles tragiques.

Samuel, le directeur des Variétés, lui offre alors un petit rôle dans une pièce fort gaie, en compagnie de Brasseur et d'Eve Lavallière. Mais quand elle apprend qu'elle devra paraître, elle si mince, au milieu de petites femmes grassouillettes et potelées, costumée en Amour, dans un maillot couleur chair, couronnée de roses, avec de petites ailes dans le dos, pour des émoluments de 60 francs par mois, Jane préfère renoncer aux planches et retourner au Moulin Rouge.

En 1900, on la voit pourtant au théâtre du Vaudeville dans une comédie en trois actes de Pierre Wolff, *Le Béguin*. Gustave Larroumet écrit dans le feuilleton dramatique du *Temps* du 12 février : « Mlle Avril, qui a des qualités d'émotion et du charme nonchalant, rend de son mieux le personnage de Thérèse, une rouée et une agitée », amie et confidente d'une demi-mondaine empêtrée dans ses flirts, rôle tenu par Réjane.

L'Exposition universelle de 1900 attire un nouveau public, étranger et provincial, au Moulin Rouge. A l'automne, le Quadrille part en tournée en province : Clermont-Ferrand, Nice, Lyon, et même quelques représentations à Genève. C'est au cours de ces tournées que Jane apprend à connaître les agents, qui considèrent souvent chanteuses et danseuses comme moins que rien, les obligeant à rester dans la salle après leur numéro, à la disposition des consommateurs, sous l'œil des « marchands d'eau chaude ».

Jane revient à Paris pour danser à l'Eldorado. Elle y retrouve la jeune Mistinguett, devenue l'idole des potaches qui la bombardent de bouquets de violettes à deux sous, Mayol en pleine gloire, et Max Dearly qui commence à imposer son type d'Anglais dans des situations comiques. Et chaque soir, Jane entre en scène après Dranem, quand le public veut bien cesser ses rappels.

Le numéro de Jane Avril débute par une gavotte qui fait bâiller le poulailler mais plaît aux loges et aux fauteuils ; puis une valse renversée applaudie par tous ; pour terminer par une danse anglaise espiègle et rapide qui déchaîne les bravos.

Mais elle continue à négliger la publicité qui pourrait assurer sa carrière. Elle promet toujours aux peintres, aux sculpteurs, aux photographes de venir poser dans leur atelier, mais ne le fait jamais. Pis encore, au début du siècle, lorsqu'on la prie de venir danser dans un studio de cinéma, elle néglige de s'y rendre. C'est pourquoi il nous est encore possible de voir tourner la Loïe Fuller sur la pellicule, mais pas Jane Avril.

« La fin d'un gentil amour que le mariage de [son] partenaire avait hâté » lui laissant l'âme triste, Jane commence à songer, en ces premiers jours du nouveau siècle, à choisir une vie plus stable. Elle finit par céder aux sollicitations d'un « aimable garçon, spirituel et charmeur », Maurice Biais. Né le 30 décembre 1872 à Corbeil, il a quatre ans de moins que Jane. De famille bourgeoise, il est fils d'un notaire (les témoins de sa naissance sont un notaire et un avoué) et neveu du docteur Henri Cazalis, ami de Mallarmé et poète connu sous le nom de Jean Lahor. Il est artiste : dessinateur et affichiste, il a d'abord travaillé pour Bing, l'éditeur du *Japon artistique*, puis comme créateur de style « art nouveau » pour la Maison moderne de Julius Meier Graefe, éditeur de la revue *Pan*. *Le Rire* publie de lui des dessins humoristiques.

Maurice Biais a déjà lui-même réalisé vers 1895 une affiche de Jane Avril qui exhibe surtout la

Au Divan Japonais

Sur l'affiche du Divan Japonais, Edouard Dujardin (dont Félix Vallotton a dessiné le masque) semble bien plus intéressé par Jane sa voisine que par les gants d'Yvette Guilbert (1892).

Jacques-Emile Blanche reproduit la même scène dans l'angle supérieur gauche d'un croquis de la salle de ce cabaret de la rue des Martyrs.

Le modèle

Pour illustrer son roman *Aymeris* Jacques-Emile Blanche fait poser Jane Avril dans une attitude inverse de celle de l'affiche de Lautrec, et peu à peu la déshabille.

La Rosemary « stylisée »
de Jacques-Emile Blanche.

Jane néglige sa santé et Teodor de Wyzewa
l'oblige à faire un séjour au sanatorium
de Villepinte.

Ambassadeurs, Bal Tabarin, Jardin de Paris

Melle Duclerc lance « Tha-ma-ra-boum-di-hé » devant Jane Avril aux Ambassadeurs. Dessin de Steinlen pour le journal de Bruant, *Le Mirliton*, en février 1893.

Jane Avril au Bal Tabarin, en 1903, par A. Grass-Mick.

Le Jardin de Paris aux Champs-Elysées avant 1900,
à l'emplacement de l'actuel Petit Palais.

La Môme Picrate, roman de Willy écrit par Armory, contient de longues descriptions de la danse de la Mélinite au Jardin de Paris. La couverture de la première édition est illustrée par J. Vély.

Emmanuel Barcet illustre la couverture de l'édition populaire à 0,95 F.

Au Jardin de Paris

L'affiche de Jane Avril saisie
par l'huissier Panmuphle
chez le docteur Faustroll
(sans la mention du Jardin de Paris).

Sur la photo dont s'est inspiré le peintre,
Jane n'a pas du tout cet air mélancolique
que lui donne Toulouse-Lautrec
et qui a frappé les critiques.

En 1896, Toulouse-Lautrec réalise l'affiche
de la Troupe de Mlle Eglantine
dont il possède la photo.

Palais de Glace

Adolphe Willette rencontre Jane Avril au Palais de Glace aux Champs-Elysées ; Grün au Concert des Décadents, rue Fontaine.

Le Hall des Folies-Bergère en 1900.

Folies-Bergère

Affiche de Chéret pour *L'Arc-en-Ciel*, ballet-pantomime aux Folies-Bergère, dans lequel Jane Avril tient le rôle de Pierrot.

La Loïe Fuller, vue par Steinlen.

Maurice Biais

Maurice Biais, dessinateur art nouveau, épouse Jane Avril en 1911.
Il publie en 1900 des dessins humoristiques dans *Le Rire*.

LE CHAT. — Si je me mettais à l'abri de cette jupe cloche ! Quand il y en a pour un, il y en a pour deux.
Dessin de M. BIAIS.

Maurice Biais a réalisé en 1895 cette affiche pour jane Avril.
Son style est celui des graphistes de son temps,
très différent de celui de Toulouse-Lautrec.

Paris-Midi

23e ANNÉE. — N° 2.684 — LUNDI 7 AOUT 1933 — 25 CENTIMES

POUR LE 15 AOUT le Bureau de Voyages de « Paris-Midi - Paris-soir » vous propose : **Trois Jours à Londres**

...ES DEUX ...MÉRIQUES

...uits de démission de M. Cordell Hull

Codos et Rossi poursuivent leur raid vers Alep et le golfe persique

Les communications radiotélégraphiques sont devenues défectueuses depuis leur passage à Munich

LA PACIFICATION DU MAROC

L'encerclement des tribus Aït Hadidou de l'Imdghrass

Les territoires dissidents du Grand-Atlas sont maintenant coupés en deux

Les révélations d'un journal anglais au sujet de la « Joconde » semblent dénuées de tout fondement

Mme Rossi nous parle de sa soirée au Bourget

« *Tu verras, je survolerai Paris, tu viendras me voir passer* », *lui avait dit son mari avant de partir*

L'escadre Balbo partirait mercredi pour les Açores

La température baissera un peu aujourd'hui

Une collision se produit rue Lafayette entre un camion et un tramway

DE MIDI A MIDI

Mes Mémoires

PAR JANE AVRIL

ILLUSTRATIONS DE BECAN

CHAPITRE PREMIER

LA TRAGÉDIE DE LA JEUNESSE ALLEMANDE

VENDEUSE dans un grand magasin

Mes Mémoires, par Jane Avril, paraissent dans *Paris-Midi* le lundi 7 août 1933.

Le Bal
Toulouse-Lautrec

En 1935 Jane Avril
a soixante sept ans.
Elle lève encore la jambe
avec Max Dearly.

Dernier Gala

Administration de Concerts A. et M. DANDELOT, 83, Rue d'Amsterdam

SALLE DE L'ECOLE NORMALE DE MUSIQUE, 78, rue Cardinet

(Métro : Malesherbes)

Jeudi 22 Juin 1939, à 21 heures

sous la Présidence d'Honneur de

Francis CARCO, Van DONGEN, Pierre LAZAREFF, Michel SIMON

SOIRÉE DE GALA

donnée au profit de

JANE AVRIL

1. "Au temps du Chat Noir"
   Yvette GUILBERT
   Au Piano : Mlle Irène AITOFF

2. Prélude et Allegro . . . . PUGNANI-KREISLER
   La Fille aux Cheveux de lin . . . . DEBUSSY-HARTMANN
   Danse Espagnole . . . . GRANADOS-THIBAUD
   20e Caprice . . . . PAGANINI-KREISLER
   José FIGUEROA
   Au Piano : Angelina FIGUEROA

3. "Une Invitation à la Valse" (d'après Renoir) . . . . IVANOVICI
   a) Invitation — b) Après la Valse
   Hommage à Degas . . . . Olivier MÉTRA
   BELLA REINE
   Au Piano : Henri CLIQUET PLEYEL

4. **Jean MARSAC**

5. "La Lettre" (en 3 tableaux) Inspirée de Edmond de Goncourt . . . . H. CLIQUET-PLEYEL (d'après Bruant)
   BELLA REINE
   Au Piano : l'AUTEUR

6. a) 10e Danse . . . . GRANADOS
   b) 5e Etude . . . . H. CLIQUET-PLEYEL
   H. CLIQUET-PLEYEL

7. "A la Patinoire" (d'après Vigée-Lebrun) . . . . WECKERLIN
   "La Buveuse" (d'après Toulouse Lautrec) . . . . Mélodies connues
   BELLA REINE

8. "Visite au Musée"
   Catherine FONTENEY
   Sociétaire de la Comédie-Française

— Piano PLEYEL —

Une soirée de gala est donnée au profit de Jane Avril le 22 juin 1939. Mais elle ne danse plus depuis longtemps et commence à être oubliée du grand public.

Jane Avril

Jane Avril

Jeanne Beaudon

finesse de ses jambes et ne vaut pas (comment le pourrait-elle ?) celles de Lautrec.

Maurice est brouillé avec sa famille pour ses frasques passées et ne reçoit qu'une pension modeste qui l'oblige à gagner sa vie par son travail. Et voilà maintenant que l'artiste veut épouser une danseuse ! *Biais*, en langue d'oc, ne signifie-t-il pas inconstant ? Cette fois, la famille menace de couper les vivres s'il n'accepte pas d'entrer dans une entreprise américaine à New York. Maurice Biais est contraint de se soumettre. Qu'à cela ne tienne : Jane ira le rejoindre.

Avec son petit garçon de cinq ans, Jane Avril embarque pour l'Amérique. Elle y retrouve un Maurice Biais rendu nerveux par le mal du pays dont elle ne tarde pas non plus à souffrir : Jane ne trouve aucun charme à la vie new-yorkaise. Elle revient en France au bout d'un mois.

Dès qu'elle réapparaît au Moulin Rouge, Oller la reçoit à bras ouverts, et Jane retrouve sa place dans le quadrille.

En dix ans, la vie parisienne a bien changé. Le Chat Noir a disparu, ceux qui l'ont fréquenté sont dispersés. Les automobiles ont chassé les élégants équipages de l'allée des Acacias ; les femmes font de la bicyclette sans que l'on crie au scandale. Le 22 janvier 1902, première des cent vingt-trois représentations de *Claudine à Paris*, d'après le roman de Colette et Willy, aux Bouffes-Parisiens. Jane Avril y tient un rôle au côté de Polaire, qui en est la vedette.

Au Moulin Rouge, les amateurs du quadrille se font plus rares. En 1902, Max Maurey y effectue d'importants travaux et transforme la salle de bal en un théâtre-concert. Paul-Louis Flers va y donner revues et opérettes en espérant faire oublier les cinq quadrilles quotidiens. Le dernier bal, avec Jane Avril, Grille-d'Egout, la Môme Fromage et Valentin-le-Désossé, a lieu le 29 décembre 1902. Jane est engagée pour la revue d'ouverture, *Tu marches ?*, revue d'Adrien Vély et Charles Clairville en deux actes et dix tableaux, le 5 mars 1903, dans laquelle se révèle la chanteuse Ellen Baxone ; le 30 avril encore, dans l'opérette *La Belle de New York*.

En janvier 1903, la troupe des Joyeux Nègres, au Nouveau Cirque, a révélé le *cake-walk* aux Parisiens. Jane l'a déjà vu danser à New York où il s'est répandu en véritable épidémie : elle le lance à Paris et organise un championnat de *cake-walk* au Moulin Rouge à l'occasion de présentations de mode. Et c'est naturellement Jane qui gagne le premier prix : un corset... En 1904, la *matchiche* brésilienne arrivera en France, suivie en 1912 par le tango argentin.

Dans le *Figaro* du 12 octobre 1905, « un Monsieur de l'Orchestre » (Emile Blavet) cite les principaux interprètes, au Théâtre Sarah Bernhardt, du *Masque d'Amour*, la pièce que Daniel Lesueur a tirée de son propre roman, *Le Marquis de Valcor*, et ajoute :

> « Le reste de l'interprétation féminine renferme une "curiosité" qu'il convient de mettre en relief. Parmi les agréables et délurées gigo-

lettes du quatrième tableau, je relève le nom de Jane Avril. Jane Avril, une célèbre Montmartroise. Une des plus célèbres "chahuteuses" de la Butte sans qui il n'est pas, depuis dix ans, de brillant quadrille. Jane Avril dont le regretté Lautrec immortalisa naguère l'inquiétante silhouette en une magistrale affiche qui, cet été encore, au Jardin de Paris, fut aux yeux ébahis des étrangers et aux yeux effarouchés de leurs "dames" la représentante autorisée de la chorégraphie que l'Europe hypocrite nous envie secrètement. »

Jane danse aussi au Bal Tabarin dont le directeur, Auguste Bosc, espère, en l'engageant, faire revenir une clientèle de plus en plus clairsemée; sans grand succès. Aussi décide-t-elle en 1905 de reconstituer sa petite troupe avec Eglantine, Cléopâtre et Gazelle, pour une tournée à Madrid dont on lui a promis d'excellents résultats. En réalité, les pauvres filles ne peuvent pas faire un pas dans la rue sans être sifflées et interpellées grossièrement. Le soir de leur première entrée en scène, elles sont l'objet de telles grossièretés, de telles obcénités que Jane est prise de tremblements d'indignation. Elle parvient pourtant à danser avec une intensité telle qu'elle arrache au public un tonnerre d'applaudissements.

Il a fallu organiser une escorte spéciale pour que Jane puisse assister à un véritable flamenco dansé par les gitans dans les cafés enfumés des quartiers populaires. Pastora Imperio n'a que seize ans quand

Jane la voit à Madrid, avant de la retrouver quelques années plus tard devant le public parisien.

Le pénible séjour du Quadrille à Madrid est heureusement un succès financier. Mais quand Jane revient à Paris, c'est pour apprendre la mort d'Alphonse Allais, le 28 octobre 1905, un des hommes qu'avec Toulouse-Lautrec elle a le plus admirés et peut-être vraiment aimés.

Jane danse pendant quelques soirs au cabaret de la Nouvelle Athènes, place Pigalle, tenu par la chanteuse Eugénie Buffet. Puis aussi chez Maxim's où elle aurait pu venir toutes les nuits si elle avait seulement accepté les conditions avantageuses que lui proposait Cornuché. Le cœur n'y est plus. Après avoir mis son fils en pension (il a huit ans), elle court se réfugier dans les bras d'un riche protecteur, mais trop âgé, qui meurt.

On retrouve une dernière fois Jane Avril sur la scène du Moulin Rouge, le 13 novembre 1910, à la première de l'opérette *Claudine*, toujours d'après Willy et Colette, musique de Rodolphe Berger, mise en scène de Mévisto. La vedette est encore Polaire, accompagnée de Marise Fairy, Yvonne Yma, Madeleine Guitty, Bert-Angère, Claudius, Colas, Regnard.

Jane revoit alors Maurice Biais qui a renoncé au jeu et à l'alcool. Il a un travail qui lui plaît et a déniché aux environs de Paris, à Jouy-en-Josas, un petit pavillon en briques rouges où Jane pourra vivre heureuse à l'abri du besoin.

C'est là qu'ils se marient, le 7 juin 1911 : la mariée, Jeanne Louise Beaudon, a quarante-deux ans ; le marié, Maurice Amédée Louis Biais, trente-huit. A Emile Mousseau, l'adjoint au maire qui les unit, ils déclarent qu'il n'a pas été fait entre eux de contrat de mariage, mais « qu'il existe de leur union naturelle un enfant de sexe masculin, Jean Pierre Adolphe Beaudon, lequel ils reconnaissent pour leur fils, voulant par la présente déclaration légitimer sa naissance ». Ce n'est peut-être pas tout à fait exact, mais cela évite à Maurice Biais les longues et fastidieuses démarches de l'adoption : ce jour-là, un garçon de quatorze ans, placé en nourrice ou en pension depuis sa naissance, fait la connaissance d'un père...

Les témoins de l'époux sont Henry Letuppe, photographe domicilié à Montrouge, et Marie Thomas, sans profession, âgée de cinquante-cinq ans ; sa fille, Mary Thomas, âgée de trente ans, épouse Borye, domiciliée comme sa mère à Paris, 43, rue Vivienne, est témoin de l'épouse, ainsi qu'Amélie Guilmot, artiste lyrique, âgée de trente-cinq ans, domiciliée à Paris, 4, rue Doudeauville.

De la famille Biais-Cazalis, personne n'assiste au mariage. Henri Cazalis (Jean Lahor), que Jane a pu connaître en compagnie de Teodor de Wyzewa, est décédé depuis deux ans. La mère de Maurice Biais, Aglaé Eugénie Laure Cazalis, n'est plus de ce monde ; quant à son père, Amédée Biais, le notaire dont Henri Cazalis avait évoqué à demi-mots les difficultés financières à Mallarmé, aujourd'hui âgé de quatre-vingts ans il est domicilié au Caire et se garde bien de revenir en France où l'attendent la justice et ses créanciers.

Maurice laisse Jane imposer son goût dans la décoration de la maison – mobilier léger, rideaux dans un tissu à carreaux bleu et blanc; lui, de son côté, dessine le clocher du village sur le papier à lettres de Jane.

Chaque matin ou presque, Maurice se rend à Paris par un train omnibus, et revient seulement le soir. Le dimanche, ils s'en vont pique-niquer dans la campagne : Maurice porte son chevalet et sa boîte de peintures; Jane se contente d'un carnet de croquis et de tubes d'aquarelle – car elle a toujours peint, prétend-elle (personne n'a malheureusement jamais vu une seule de ses aquarelles). Le fils de Jane, que Maurice a reconnu, continue de passer la semaine en pension à Paris et vient parfois se joindre à leurs promenades dominicales. Il continue à ne manifester aucune affection pour sa mère. Elle s'en désole, mais ne semble pas très bien se rendre compte de la vie qu'elle lui fait mener. Maurice, bien sûr, s'en occupe beaucoup – quand l'enfant n'est pas en pension; mais n'est-ce pas un peu tard ?

Le couple Biais intrigue les habitants de Jouy. Le premier à succomber au charme de Jane est le facteur auquel elle met une fleur à la boutonnière lorsqu'il apporte du courrier. Puis c'est le boulanger. Enfin, au château de Rocquencourt, la princesse

Murat, née d'Elchingen, rencontre Madame Biais : c'est, à Jouy-en-Josas, un brevet d'honorabilité.

Quelques amis du Moulin Rouge, et « papa » Oller le premier, viennent visiter Maurice et Jane aux beaux jours.

Cette vie idyllique ne dure pas. Jean Pierre devient un adolescent difficile dont les crises de colère rappellent à Jane sa propre mère. Maurice, de son côté, devient sombre. Il reconnaît devant Jane que ses affaires ne vont pas si bien qu'il espérait ; au point qu'elle décide de rendre visite elle-même à l'entreprise qui l'emploie pour discuter à sa place avec ses patrons de l'avenir de son mari. C'est ainsi qu'elle apprend qu'il a été licencié depuis plusieurs mois à cause de son instabilité et de son comportement irresponsable. Quand Jane lui reproche vertement de lui avoir menti, il la persuade qu'il a seulement voulu lui éviter de se faire du souci.

Quelques semaines plus tard, Maurice ne rentre pas de la nuit, ni de la semaine. Quand il reparaît, c'est pour dire qu'il s'était brusquement décidé à rendre visite à sa famille, à Nice, pour effacer leurs querelles. Jane écrit aux sœurs de Maurice, qui lui répondent qu'elles ne l'ont pas vu depuis des années. Sa vie continue ainsi, entre un mari imprévisible et un fils qui la « tape » constamment.

Quand éclate la guerre, en 1914, Jane est une femme de quarante-six ans au bord de la dépression. La vue de Maurice aux cheveux ras dans son uniforme bleu horizon le rapproche de Jane une dernière fois. Sa famille pardonne au futur héros ses incartades de jeunesse. Il passe ses permissions chez ses sœurs, dans le Midi, et, avec l'argent qu'elles lui donnent, vient les finir à Paris auprès de Jane.

Au cours des années de guerre, Jane subit des coups très durs. Son fils Jean Pierre, d'abord, quitte la maison et n'y reviendra jamais – comme Jane l'a fait elle-même à son âge. Le 8 avril 1917, Teodor de Wyzewa meurt, sans doute à la suite d'une trop forte dose de morphine, après avoir reçu trois fois l'absolution. Après l'armistice de novembre 1918, enfin, lorsque les hommes commencent à rentrer chez eux, Maurice ne revient pas encore : il a été gazé au cours des derniers mois de guerre. Jane va le retrouver dans un hôpital militaire et tente de réconforter l'homme au visage jaune et ravagé qu'elle découvre, accablé par une incessante toux rauque.

Il revient à Jouy-en-Josas aux premiers jours du printemps 1919 et part en convalescence chez ses sœurs. A son retour, il se remet à travailler par intermittences chez des décorateurs. Mais, petit à petit, il recommence à s'absenter pour des périodes de plus en plus longues, revenant toujours sans un sou. Jane constate la disparition d'un bracelet précieux que Maurice avoue avoir vendu. Puis c'est un petit paysage de Manet (?) qui est décroché du mur de sa chambre.

Il met en gage au Mont-de-Piété les bagues de Jane, qu'elle rachète mais qu'il lui vole à nouveau pour les revendre au comptant. Il ne fait même plus semblant de travailler. Mais la vraie surprise pour Jane n'est pas là : elle découvre dans l'atelier de Maurice, dissimulée sous une pile de tapis, une valise pleine de vêtements et de sous-vêtements féminins. Des lettres cachées sous ces habits révèlent que ce ne sont pas les vêtements d'une femme, ce sont ceux d'un travesti, et ce travesti n'est autre que Maurice, l'époux de Jane Avril...

Jane est prise d'un profond dégoût, et lorsque son mari disparaît une dernière fois, elle ne fait plus rien pour le retenir. Il est retourné à Nice auprès de ses sœurs, qui s'inquiètent quand il disparaît à nouveau, et écrivent à Jane : c'est l'occasion pour elle de mettre les choses au point. Quelques semaines plus tard, elle reçoit un avis officiel du ministère de la Guerre l'informant du décès de Maurice Biais, le 8 avril 1926, au sanatorium de Gorbio, à une dizaine de kilomètres de Menton, où il a été transporté au cours de sa dernière fugue. Le corps est transféré à Paris et inhumé au cimetière du Père Lachaise dans le caveau de famille. Debout à côté des sœurs de Maurice en grand deuil et en larmes, Jane est étonnée de ne ressentir aucune émotion, mais seulement une immense lassitude.

A Jouy-en-Josas, il n'est plus question pour Jane Avril de vivre dans leur petite maison. La pension de veuve de guerre qu'elle reçoit n'est pas suffisante pour faire face aux frais qu'entraîne une propriété. C'est chez le facteur qu'elle loue une chambre, après avoir liquidé le mobilier du pavillon. Après une entrevue protocolaire avec les sœurs Biais, Jane reçoit une lettre de leur notaire l'informant que la famille de feu son époux lui assure une pension de 600 francs, à vie. Elle achète un appareil de radio.

Jane Avril, grande marcheuse, n'a jamais cessé de se promener dans Paris. Elle reconnaît un jour sur les quais de la Seine ce jeune poète qui avait tant de mal à vendre ses ballades imprimées aux habitués du cabaret l'Âne Rouge, avenue Trudaine. Charles Dodeman est un personnage et une figure des quais de Paris. D'abord, ils sont trois frères, fils d'officier, tous trois bouquinistes : Charles, quai Voltaire, presque dans l'axe de la rue de Beaune ; Henri, quai de Conti ; Edouard au Pont-Royal. Charles est né en 1873. Officier de l'Instruction publique, il est l'auteur, entre autres, de deux livres sur les bouquinistes des quais, *Le Long des Quais* et *Journal d'un Bouquiniste*. Il habite tout à côté, 15, rue de Verneuil. Sa situation sur le quai lui permet d'avoir pour chalands des académiciens, des écrivains célèbres : Anatole France, Maurice Barrès, Francis de Miomandre, Lucie Delarue-Mardrus, le comte Jehan Soudan de Pierrefitte... Beaucoup de ces noms rappellent à Jane sa jeunesse au quartier Latin et elle passe de longs moments à échanger des souvenirs avec son ami bouquiniste.

Au début de 1929, elle avait appris le décès de la Goulue, Louise Weber, la scandaleuse, si différente de Jane, mais qui avait aussi séduit Toulouse-

Lautrec dont elle avait été l'un des modèles sur une vingtaine de toiles, mais aussi la camarade. Ses danses mauresques dans la baraque foraine peinte par Lautrec en 1895 n'avaient duré qu'un temps. Elle avait épousé José Droxler en 1900 et était en même temps devenue dompteuse. Elle n'avait reparu qu'en 1917 dans une revue de Rip et Henri Varna, aux Bouffes-du-Nord. Elle vivait depuis dans une roulotte sur un terrain vague de Saint-Ouen, avec son chien Rigolo, avant de finir à Lariboisière. Jane pleura.

Les années 30 commencent à se souvenir de la fin du siècle passé, ces années d'avant-guerre que les plus âgés appellent tout naturellement la Belle Epoque en souvenir de leur jeunesse. Alice Cocéa fait son retour à la scène dans *Valentin le Désossé* au théâtre Michel ; Jenny Dolly, l'une des Dolly Sisters, vend son château et remonte sur les planches ; Mistinguett, à près de soixante-dix ans, rivalise avec Joséphine Baker ; et Cécile Sorel revient à son public en reine de revue. Au bal Tabarin, le cancan fait fureur ; Jane Avril ne cache pas que ces girls qui lèvent la jambe en cadence la déçoivent alors que, de son temps... ! les danseuses se donnaient toutes et de tout leur cœur...

En 1929 encore, Gabriel Astruc, évoquant *Le Pavillon des Fantômes*, cite une lettre de Jane Avril, qui vient d'atteindre la soixantaine et ne semble pas se plaindre de sa vie à Jouy-en-Josas :

« Dans ma modeste retraite, je joue les Pénélope en tricotant ou brodant, sans toutefois défaire mon ouvrage. Votre lettre m'a rappelé des temps bien doux, regrettés quelquefois, mais qui m'ont laissé de bons souvenirs, lesquels m'aident à vivoter et à vieillir tout doucement, loin de ce mouvement trépidant qu'est devenue la vie parisienne actuelle – laquelle me tente de loin – et me fait désirer de rentrer au plus vite dans mon petit patelin les rares fois où je retourne à Paris, ce cher Paris où je suis née et que je ne reconnais plus.

La chronique des Treize dans *l'Intran* me tient un peu au courant des faits intéressant ceux qui comptent et que je connus. Je sais donc quelle ascension vous "accomplîtes" et les succès mérités que vous avez atteints. Je vous en félicite et vous remercie encore de votre charmante lettre qui m'a apporté comme un rayon de ma jeunesse. En m'excusant de ce long bavardage, je vous prie d'agréer mes gracieuses révérences.

J.M. Biais (alias Jane Avril). »

D'autres journalistes retrouvent Jane Avril. Ils la font parler. Pour le *Daily Express*, Jose Shercliff vient l'interviewer en 1932 ; elle lui trouve une voix légère et douce, son joli visage est un peu affaissé sous une auréole frisée d'argent ; mais les yeux enfoncés dans les orbites sont toujours du vert le plus clair et le petit nez se contracte nerveusement comme celui d'un lapin.

Jane Avril reçoit la journaliste anglaise dans sa chambre de Jouy-en-Josas. Une cloison est occupée par une affiche de Lautrec. La bibliothèque est très réduite : un volume de Proust (« Pouf ! dit Jane. Il est trop raffiné pour moi ». Et elle ajoute : « Je l'ai vu une fois »); un roman de Colette (« La garce... elle sait écrire, mais je n'ai jamais vu ça dans ma jeunesse », dit encore Jane en faisant allusion aux galipettes de *Claudine à l'école*); les *Fleurs du Mal* de Baudelaire; et un livre de cuisine. Ce n'est pas beaucoup, mais on en vient à penser que c'est peut-être un peu trop.

Et, pour prouver encore sa souplesse, elle lève la jambe, au port d'armes, le pied contre l'oreille.

Lorsque Jose Shercliff retourne en Angleterre, les deux femmes échangent une correspondance régulière. Les lettres de Jane sont écrites sur le papier à lettres que Maurice avait dessiné pour elle :

> « Votre affection a rajeuni mon cœur si désœuvré qu'il a amèrement ressenti son vide récent. J'ai même pleuré sur mon bœuf bouilli, le Jour de l'An ! Et Dieu sait que je ne pleure pas facilement ! Je pensais avoir oublié comment on pleure. »

Quand Jose Shercliff vient à Paris, elles sortent ensemble. Jane s'excuse d'être encore coquette à son âge en mettant du rouge à lèvres et une touche de rose à ses joues. Elles vont s'asseoir à la terrasse de la Closerie des Lilas et Jane montre à la journaliste les restes du Bal Bullier que l'on aperçoit encore sur le trottoir d'en face, derrière une palissade. Sur les quais, elles bavardent longuement avec Charles Dodeman, le vieux bouquiniste (il va mourir en 1934).

« Je ne pourrai jamais oublier, écrit Jane, quelle "petite résurrection" vous avez causée dans mon esprit et mes espoirs... »

Elle ne cachait pas à ses visiteurs qu'elle prenait des notes en vue d'écrire ses souvenirs.

> « Hier, j'ai reçu une lettre de Pierre Audiat de *Paris-Midi* qui m'a mis du baume au cœur, écrit-elle à Jose Shercliff au début de l'été 1933, car il dit que *Paris-Midi* est disposé à publier mes mémoires. Il demande combien j'en veux et je lui ai donné un prix approximatif. En même temps, je lui ai demandé son avis et suggéré un rendez-vous à Paris. Dès qu'il y aura du nouveau, je vous le dirai, car je pense que vous serez heureuse si quelque chose de bon m'arrive – mais il ne faut pas vendre la peau de l'ours avant de l'avoir tué, comme dit le proverbe. »

Mes Mémoires, par Jane Avril, paraissent le lundi 7 août 1933 en première page de *Paris-Midi*, entre des articles sur la politique américaine, le raid des aviateurs Codos et Rossi, la « pacification » du Maroc par l'armée française. On apprend aussi que la température est en baisse, que l'escadrille du général Balbo partira mercredi pour les Açores, que la *Joconde* du musée du Louvre est un faux (cela fait sourire M. Bollaert, directeur général des Beaux-Arts) et qu'une collision a eu lieu rue Lafayette, hier à 20 h 30, entre un camion volé et un tramway. La publication s'échelonne sur tout le mois d'août, en plein été, ce qui ne favorise pas leur lecture par un très large public. Ce feuilleton est illustré par Bécan, un dessinateur choisi par le journal et que Jane n'aime pas du tout : son trait, influencé par le Cubisme et les Arts Déco, choque le goût de Jane qui en est restée au Japonisme et au Modern'style de sa jeunesse.

Quand Jane Avril écrit et veut montrer qu'elle sait écrire, elle y met le paquet :

> « D'anciens et rares amis qui se [me] sont demeurés fidèles insistaient depuis quelques années à me conseiller d'écrire mes mémoires.
>
> "Mes mémoires ! m'écriais-je en riant. Contribuer pour ma part à l'histoire de mon temps ! De quelle présomption me supposez-vous capable ?"
>
> Ils ne se lassaient pas, cependant, et me répétaient : "Faites appel à vos souvenirs, ils ne sauraient manquer d'un certain piquant; aujourd'hui surtout que certains écrivains, trop jeunes pour être bien renseignés, s'efforcent à critiquer, à dénigrer et ridiculiser l'époque heureuse que nous avons vécue, à la fin d'un siècle et au début de l'autre".
>
> Je me dérobai à leurs instances jusqu'au jour où (souvent femme varie) je me dis qu'il serait tout de même amusant d'oser.

Car ces souvenirs d'autrefois, me revenant à l'esprit, en éveillaient d'autres et d'autres encore. Et voici qu'après avoir si longtemps hésité, je vais tout de même essayer d'en fixer quelques-uns, bien que je m'y sente malhabile, et qu'en réfléchissant j'aie bien peur qu'ils n'offrent guère d'intérêt aux lecteurs curieux de me lire, parce que je n'ai rien de "croustillant" à y mettre.

Et puis, il est si difficile de parler de soi ! Il leur faudra être très indulgents à la simple amoureuse de la Danse que seulement je fus, qui n'a existé que par Elle et pour Elle !

Ils sont d'ailleurs plutôt mélancoliques, ces pauvres souvenirs – les premiers, surtout, un peu "mélo". Or, ne sachant être que sincère, je crains fort qu'ils nuisent quelque peu à mon humble "prestige".

Parmi ceux qui jadis m'ont un peu remarquée, d'aucuns me qualifièrent d'"Etrange Jane Avril".

Ils trouveront sans nul doute les causes de cette "étrangeté" dans le récit des premiers épisodes de ma triste enfance. »

Tout n'est heureusement pas sur ce ton... Mais les *Mémoires* de Jane Avril sont très approximatifs. Elle mêle allègrement les temps, écorche les noms, en dissimule d'autres sous des initiales souvent transparentes, et les typos enjolivent le reste de coquilles. Ils nous sont pourtant bien utiles.

Elle ne cite pas une fois le nom de Maurice Biais, ni ce qu'elle avait découvert sur son compte, mais ses belles-sœurs lui font savoir qu'elles n'apprécient guère qu'elle aille raconter dans les journaux qu'elle était chahuteuse au Moulin Rouge. Quatre ans plus tard, le 7 août 1937, elle écrit à ce propos à Léon-Paul Fargue qui a publié le même jour dans *Paris-Soir* une évocation de « La tournée des grands ducs » (sous le titre « Squelettes émaillés », ce texte est repris dans *Refuges* en 1942). Fargue décrit les « exhibitions alors triomphales » des danseuses du Moulin Rouge : « C'étaient la Goulue, Grille-d'Egout, Rayon d'Or, bébés capricieux, provoquants et presque éclatants de vices parfaits, croyait-on, sans nombre; rehaussés par une vraie dame égarée, que peignit Lautrec et dont j'ai scrupule à reparler. » Dans ce « reportage », comme écrit Jane Avril, Fargue avait en effet cité son nom avec ceux de la Goulue et autres « bébés capricieux » :

> « J'appartiens par mon mari – dont je suis veuve – à une famille... mettons – très pointilleuse, et je suis leur obligée – dont, à mon corps défendant le nom peut être cité dans des articles à moi consacrés.
>
> On m'en avait tenu rigueur – Les choses, depuis, se sont un peu apaisées, mais il serait déplorable que le fait se renouvelat [*sic*]. Et c'est pourquoi je prends mes précautions. »

Elle ajoute :

« La Danse pour moi résuma toute ma vie. Le Quadrille fut un accessoire et j'évoluais à part sans partager les fréquentations des Goulues [*sic*] ou Rayon d'Or d'alors. »

Les *Mémoires* de Jane Avril n'ont pas que des lecteurs bégueules. Parmi eux, Alice de Brémond, devenue une élégante bourgeoise, vient en voiture rendre visite à Jane, à Jouy-en-Josas, et l'emmène déjeuner à Versailles.

En ce même mois d'août 1933, Jean Pierre Biais, qu'elle n'a jamais revu, se marie, sans que sa mère le sache, à Vallandry (Indre-et-Loire) avec Marguerite Léotier. Il pourrait lui apprendre qu'il est le fils de cette Jane Avril dont on parle tant; mais il déteste toujours autant sa mère, et il ne le fait pas.

Elle retrouve aussi d'autres amis et commence à croire qu'elle peut rompre son isolement et vivre en société. Elle fait les démarches nécessaires, et est accueillie à la maison de retraite des Artistes Lyriques, à Ris-Orangis, près de Corbeil, créée par Dranem (Armand Ménard), où, pense-t-elle naïvement, il lui sera agréable de vivre au milieu des hommes et des femmes qui ont exercé le même métier qu'elle. Quelle erreur! Jane Avril n'est pas faite pour vivre en communauté et prendre des repas à heures fixes dans un réfectoire au milieu de vieilles femmes radoteuses et jalouses. Marie-Lou de Woestyn, la femme d'un journaliste qu'elle a connu dans sa jeunesse, vient la sortir de là et l'héberge chez elle, quai du Point-du-Jour, à Boulogne, puis lui cherche et lui trouve la maison de retraite qui lui convient dans un des immeubles de la Fondation de Madame Jules Lebaudy, rue de la Saïda, à Paris, dans le 15e arrondissement.

En 1899, Amicie Priou, veuve du sucrier Jules Lebaudy, dont elle a hérité 112 millions de francs-or, pour racheter la vie dissolue de son mari et surtout sa responsabilité dans la faillite de la banque de l'Union Générale qui a ruiné de nombreux petits épargnants catholiques, décide de consacrer sa fortune à bâtir des logements populaires. Catholique pratiquante, nationaliste, antidreyfusarde, elle subventionne aussi la Ligue des Patriotes de Paul Déroulède et habite seule un petit rez-de-chaussée, rue d'Amsterdam. Ses quatre fils, qui se sont partagé un magot du même poids que celui de leur mère, sont moins philanthropes : Jacques, sorte de père Ubu maigre et toqué, se casse les reins à vouloir s'autoproclamer empereur du Sahara, sur la côte sénégalaise; Robert n'a qu'une passion, les dirigeables; Max, le « Petit sucrier », claque 25 millions-or en huit mois de foiridon et meurt de la tuberculose à l'hôpital du Val-de-Grâce pendant son service militaire, aucun médecin militaire n'osant le proposer pour la réforme de crainte d'être soupçonné d'avoir été acheté.

L'ensemble de la rue de la Saïda a été construit en 1913. Le n° 5, que Jane Avril indique comme adresse à Léon-Paul Fargue, est celui de la loge de la concierge. Le « Pavillon des Vieilles », qu'elle habitait, était situé à l'angle de la rue de la Saïda et du passage de Dantzig, dans un espace aujourd'hui planté d'arbres avec des bancs de pierre, visible à travers les grilles. On y accédait en passant sous les passerelles et les escaliers à ciel ouvert qui desservent les grands bâtiments. C'était un pavillon à deux étages avec un large balcon ouvrant sur douze chambres identiques équipées de douze cuisines minuscules et de douze petites remises à charbon. Les douze vieilles femmes qui vivaient là avaient en commun la pauvreté. Cette ruche à pauvres vieilles dut être jugée suffisamment insalubre pour être rasée. Il n'en reste plus rien.

Jane Avril met au mur de sa chambre l'affiche de Lautrec de 1899 (avec la robe au serpent) et une petite peinture de la maison de Jouy, œuvre de Maurice Biais. Le grand buffet tient tant de place qu'il faut enlever le tour du lit et faire du sommier un divan.

Elle écrit à son amie Jose :

> « Eh bien, me voilà enfin ici, plus ou moins installée. Je pense que ma petite maison vous amusera. Vous me trouverez parmi un groupe de vieilles Mimi Pinson. Chaque fenêtre a un pot de basilic ou de charmantes petites fleurs. Certaines ont même un canari en cage. C'est vraiment touchant ! Des bagatelles absurdes mais charmantes. Je suis très heureuse ici, et pourrai me reposer... »

Surtout, elle n'est pas oubliée. En 1935, Paul Colin organise un Bal Toulouse-Lautrec au Moulin de la Galette. Roger Féral vient rendre visite à Jane :

> « Il a téléphoné à Paul Colin, qui m'a écrit, et un de ses amis nommé Lauge vient demain pour m'emmener chez un costumier de la rue Cadet, puis à une réception avec tous les gros bonnets. Cela met mon obscure petite vie sens dessus-dessous, et je tremble à la pensée de ce que la vie me réserve. Mon cœur bat à éclater quand j'y pense ! Je pense à la chanson des enfants : "On a tant fait sauter la vieille qu'elle est morte en sautillant..." »

Le costume de Jane est l'exacte réplique de l'une des robes qu'elle portait quarante-cinq ans plus tôt.

Max Dearly, tiré à quatre épingles, est le Maître des Cérémonies. Il reçoit Cécile Sorel, Mistinguett, Maurice Donnay, Francis Carco, Colette, Tristan Bernard, Keys Van Dongen, Serge ; Joséphine Baker porte une robe blanche.

Le premier sketch est joué par les acteurs et les actrices les plus connus de la Comédie Française. Ils sont suivis par O'dett, comique de cabaret, et le Quadrille dansé par la troupe du bal Tabarin. Mlle Parisys s'exibe en un numéro fort déshabillé.

Paris-Midi avait annoncé le retour de Jane en gros caractères :

JANE AVRIL, seule survivante
du célèbre Quadrille du Moulin Rouge,
va de nouveau danser.
L'enfant martyr qui devint Reine de Paris
apparaîtra pour la dernière fois au
BAL TOULOUSE-LAUTREC.

Les journaux titrent : « Les adieux de Jane Avril ». Elle se plaint de sa robe, des bas noirs sur ses jambes minces qui sont devenues des jambes maigres, de quoi encore ? Elle est en réalité morte de trac. Lorsque Max Dearly l'introduit sur scène en la tenant par la main, elle est accueillie par un tonnerre d'applaudissements. Elle esquisse avec lui quelques pas de valse et, au final, lève sa jambe toute droite contre sa joue et se glisse doucement dans la coulisse. Sur les photographies de cette soirée, Jane Avril, à plus de soixante-cinq ans, porte un masque qui fait peur.

A ce bal, Jane a attrapé une sérieuse bronchite. Son médecin habituel, qu'elle va consulter à Jouy, lui confirme alors ses doutes : elle souffre d'un début d'angine de poitrine, elle doit cesser ses galipettes et se reposer.

A la même époque, une surprise l'attend. Elle reçoit une lettre d'une inconnue que *Paris-Midi* lui fait suivre. Cette « Marguerite Biais » est sa belle-fille, que Jean Pierre a épousée en 1933 ! Elle n'a que vingt et un ans, elle est mère d'un petit garçon – et son mari a disparu : tradition de la fugue dans la famille Biais : le père en Egypte, le fils à Nice, le petit-fils on ne sait où ? Elle vit dans un couvent, près de Douarnenez, où, en échange de son travail de femme de ménage, elle et son petit garçon sont logés et nourris.

Jean Pierre lui avait dit que sa mère était morte...

Les deux femmes commencent un échange régulier de lettres, et Jane, qui a repris ses travaux de couture, tricot et broderie, s'efforce d'envoyer à son petit fils des vêtements et des jouets.

Elle reçoit la visite d'un Américain, Gerstle Mack, qui écrit une biographie de Lautrec : dans son *Toulouse-Lautrec*, qui paraît à New York en 1938, un chapitre entier est consacré à Jane Avril.

A l'occasion des obsèques de son ami Henri de Woestyn, que ses employeurs des éditions Ferenczi ont dû régler, Jane écrit à Jose Shercliff :

> « Dernièrement, j'ai assisté à plusieurs cérémonies similaires, et maintenant tout ce que je veux c'est de me plonger, ne serait-ce que brièvement, dans l'atmosphère de jeunesse et d'optimisme qui vous entoure. Je suis de plus en plus misanthrope. Le destin a décidé que je survivrais à mes amis et je me réjouis presque de ma solitude, la préférant à ce que je vois de la société d'aujourd'hui... »

Elle a soixante-dix ans et, plutôt que de s'occuper de la marche du temps, elle ferait mieux de se soucier de sa santé. Elle traîne une bronchite chronique et fait de l'hypertension. Ses hémorragies nasales se multiplient et l'affaiblissent. Sa vue baisse; elle a perdu ses dernières dents. Jane Avril fait son testament; elle fait bien, car, au début de l'année 1939, elle échappe à un accident grave avec 25 de tension. Les médicaments lui coûtent si cher qu'elle est contrainte de faire appel à Jose Shercliff :

> « Vous n'avez aucune idée, lui dit-elle, comme je déteste emprunter de l'argent à une femme ! Toute ma vie il m'a semblé naturel de l'obtenir des hommes... »

Des admirateurs pensent encore à elle et Michel Simon, par exemple, ne se contente pas de lui envoyer des billets de théâtre, mais l'aide aussi financièrement, avec discrétion.

Jane vit dans l'angoisse. Pour s'acheter des lunettes, pour consulter un dentiste, elle lésine sur la nourriture. Les accords de Munich et les menaces de guerre avec l'Allemagne aggravent inutilement ses craintes.

Bella Reine, une danseuse d'origine russe, a l'idée d'organiser un concert au profit de Jane Avril. L'affiche de cette soirée de gala, sous la présidence d'honneur de Francis Carco, Van Dongen, Pierre Lazareff et Michel Simon, réunit les noms d'Yvette Guilbert, du violoniste José Figueroa, de Bella Reine, mime et danseuse, du chansonnier Jean Marsac, du pianiste H. Cliquet-Pleyel et de Catherine Fonteney, de la Comédie Française. Malgré l'opposition de Jane, qui craint que la publicité faite autour de son nom indispose une nouvelle fois la famille de son mari dont dépend sa petite pension, le concert a lieu le 22 juin 1939 dans la salle de l'Ecole Normale de Musique, 78 rue Cardinet, grâce aux frères A. et M. Dandelot, directeurs d'une agence de concerts, qui prennent en charge toute l'organisation. Pierre Lazareff (*Paris-Midi*) et Roger Féral s'occupent de la presse. Madame Dortu confie une pile de reproductions du tableau de Lautrec, *Jane Avril dansant*, à vendre au bénéfice de Jane. Elle ajoute un chèque. Michel Simon remet 1 000 francs à la caisse.

La salle est loin d'être pleine, malheureusement. Tous frais payés – loyer, électriciens et machinistes, ouvreuses et frais des artistes –, il ne reste que 400 F.

C'est néanmoins suffisant pour que Jane puisse partir en Normandie prendre un repos nécessaire. Elle prend le train le 3 août 1939. Sa belle-fille et son petit-fils viennent la rejoindre. Comme par un fait exprès, l'Angleterre et la France déclarent la guerre à l'Allemagne le 3 septembre.

En revenant rue de la Saïda, Jane Avril est plongée dans une ville sans lumière dont les habitants n'ont qu'un souci : faire des stocks de riz et de sucre. « La vie est difficile aux vieilles cigales », écrivait-elle déjà à Léon-Paul Fargue en 1935. Le marché noir la rend encore plus pénible. Dans une lettre à Geneviève de Séréville (Madame Sacha Guitry) du 7 juin 1941, elle se plaint d'avoir dû régler deux mois de chauffage :

> « Je me suis débattue de mon mieux pour faire durer le reste. Hélas trois fois, le prix des légumes n'a pas diminué, et me voici encore au bout de mon rouleau. »

Les vieilles femmes du Pavillon des Vieilles sont sous-alimentées, comme Jane. Deux d'entre elles disparaissent et ne sont pas remplacées.

Jane refuse de descendre dans les abris lors des alertes aériennes, car elle craint plus le froid et l'humidité que les bombes. Elle en vient aussi à haïr Hitler : elle en fait une affaire personnelle. Elle ignore sûrement qu'Edouard Dujardin, le poète symboliste à côté duquel elle pose sur l'affiche du Divan japonais, étale au grand jour ses sympathies pour l'Allemagne nazie, et que ses derniers livres, en 1943, en font le type même du « collaborateur » intellectuel.

Un jour pourtant, Michel Simon vient tirer Jane de sa solitude : il lui est venu l'idée de la présenter à la reine Amélie du Portugal, qui vit en exil à Versailles. Les deux vieilles dames se sourient et Jane revient rue de la Saïda, un bouquet de roses dans les bras.

Au cours du rude hiver 1942-1943, Jane Avril rédige son testament : elle voudrait que sa belle-fille et son petit-fils héritent du peu qu'elle possède, et surtout pas Jean Pierre. Est-ce vraiment possible ? Peut-elle déshériter son fils ?

Le samedi 16 janvier, sa voisine, Madame Bouvier, vient comme tous les jours l'aider à faire son ménage, car le médecin lui a interdit tout effort. Dans la nuit, Madame Bouvier entend frapper à sa porte. C'est Jane qui se tient sur la terrasse en plein vent, à peine couverte d'un châle sur sa chemise de nuit. Madame Bouvier comprend qu'il faut faire vite, appeler la concierge, le médecin, le curé, et Madame Dupierce, une amie des sœurs Biais, qui veille sur la santé de Jane.

Elle peut à peine respirer, mais elle pense à son testament et murmure : « Les papiers... les papiers... il faut que je les signe ». Elle réclame de quoi écrire, un morceau de papier sur lequel elle griffonne au crayon : « Je souffre le martyre ». Et, au-dessous, ces mots presque illisibles : « Je hais Hitler ».

Elle avait noté à la fin de ses *Mémoires* :

> « Si, dans l'autre monde, existent des "dancings", il n'y a rien d'impossible à ce que j'y sois conviée pour interpréter la Danse macabre ! »

Jane Avril meurt un dimanche, le 17 janvier 1943, à 8 heures du matin, à l'âge de soixante-seize ans. Elle est inhumée dans le caveau de la famille Cazalis au cimetière du Père Lachaise (au début de la 19e division, 2e ligne, no 4 de la 26e section). A part Madame Dupierce, sa voisine Madame Bouvier et d'autres habitants de la Fondation Lebaudy, il n'y a sans doute pas grand-monde à son enterrement. Réduits au minimum, les journaux n'annoncent pas les obsèques.

Aucun héritier direct ne se manifestant, son poste de radio, sa vaisselle, ses souvenirs, photos et lettres finissent dans des paniers à l'Hôtel Drouot, avec son armoire et son lit.

Ainsi s'achève cette vie de Jane Avril.

Au cours de mes recherches, je n'ai pas trouvé trace de Léontine Clarisse Beaudon, la belle Elise, pas plus que de Jean Pierre Adolphe Biais ; je sais seulement qu'il a divorcé à cinquante ans, en 1947. Il aurait aujourd'hui cent quatre ans. Son épouse, Marguerite Léotier, est décédée à Nantes le 1er février 1974, à l'âge de soixante-dix ans ; elle était toujours femme de ménage. Son fils, qui porte le nom de Biais et dont j'ignore le prénom, doit avoir la cinquantaine ; je l'ai recherché, sans succès. Ses enfants savent-ils qu'ils sont les arrière-petits enfants de Jane Avril ?

Pour nous qui ne sommes pas de la famille, mais tout de même un peu, il nous reste des photos, des affiches et des toiles de Toulouse-Lautrec, et des enregistrements de valses viennoises, de quadrilles, le « galop infernal » d'Offenbach et la Danse d'Anitra du *Peer Gynt* de Grieg.

Nous pouvons aussi faire des pèlerinages à la Salpêtrière, au 19, rue de Bruxelles, près de la place Clichy, et au cimetière du Père-Lachaise.

Mes sources principales ont été *Mes Mémoires*, par Jane Avril, parus dans *Paris-Midi* en août 1933. Jose Shercliff a publié chez Jarrolds Publishers, à Londres, en 1952, *Jane Avril of the Moulin Rouge* (non traduit en français) ; c'est un roman dans lequel elle déguise le nom de Beaudon en « Richepin », le prénom de Marguerite Léotier en « Renée », celui de Jean Pierre Adolphe en « Jacques », et délaye des épisodes imaginaires qui auraient bien surpris Jane Avril.

Il y avait un certain nombre d'autres recherches à faire, que j'ai faites, avec modération.

Mes remerciements pour leur aide vont à :

Christiane Baroche, secrétaire générale de la Société des Gens de Lettres ; Thierry Bodin ; Michel Bonduelle ; Jean-Pierre Dauphin ; Danièle Devynck, conservateur en chef du Musée Toulouse-Lautrec ; Jean-Jacques Lefrère ; Jean-Paul Goujon ; Pierre Loubier, secrétaire de la Société des Lecteurs de Léon-Paul Fargue ; Michael Pakenham ; Patrick Ramseyer ; Josseline Rivière ; Patricia Rochard ; William Théry ; Ornella Volta, Fondation Erik Satie ; Eric Walbecq ; Jean-Didier Wagneur ; Alain Weill.

Index

Crédits photographiques

Page 1 : Illustration de Geo-Dupuis gravée par G. Lemoine pour Jules Claretie, *Les Amours d'un interne*, Ollendorf, 1902; E. Mesplès, *Bal costumé à la Salpêtrière*, musée d'Histoire de la Médecine, Paris. **Page 2** : Photo E. Lagrange, coll. de l'auteur. **Page 3** : Dessins de Félix Régamey, *La Parodie*, 27 novembre 1869, coll. de l'auteur. **Page 4** : Photo anonyme extraite du livre de Jose Shercliff, *Jane Avril of the Moulin Rouge*, Jarrolds, London, 1952; Photos anonymes; Illustration de Bécan pour *Mes Mémoires* de Jane Avril, *Paris-Midi*, août 1933, D.R. **Page 5** : Dessin de F. Lunel, *Le Courrier Français*, 1er décembre 1889, coll. de l'auteur. **Page 6** : Affiche de Jules Chéret, 1889, ADAGP, Paris 2001; Photo E. Lagrange, coll. de l'auteur. **Page 7** : Dessins de Gil Baer, coll. de l'auteur; Photo E. Lagrange, coll. de l'auteur. **Pages 8 et 9** : Photos BNF. **Page 10** : *L'Echo de Paris*, samedi 9 décembre 1893. Photothèque Hachette; Photo, coll. Kharbine-Tapabor; Tableau Toulouse-Lautrec (perdu), d'après reproduction ancienne. **Page 11** : Tableau Toulouse-Lautrec, musée d'Orsay, photo RMN; Croquis, 1892, musée Toulouse-Lautrec, Albi. **Page 12** : Projet d'affiche pour Aristide Bruant aux Ambassadeurs, 1892, musée Toulouse-Lautrec, Albi; Croquis, 1894, musée Toulouse-Lautrec, Albi; *Au Moulin Rouge 1892-1893*, The Art Institute, Chicago.

Page 13 : Illustration de Toulouse-Lautrec, *Les Hommes d'Aujourd'hui*, n° 407, coll. William Théry; La Goulue et sa sœur, photo BNF; Panneau pour la baraque de la Goulue, musée d'Orsay, photo RMN-Hervé Lewandowski. **Page 14** : Courtauld Institute of Art, Londres. **Page 15** : Maurice Biais, photo, coll. de l'auteur; Jane Avril, photo Paul Sescau, Photothèque Hachette. **Page 16** : Photo anonyme, musée Toulouse-Lautrec, Albi; Couverture de la revue *L'Estampe originale*, 1893, coll. Viollet. **Page 17** : Affiche, photo musée Toulouse-Lautrec, Albi; Dessin Félix Vallotton, *Le Livre des Masques*, D.R. **Pages 17, 18 et 19** : Illustrations de Jacques-Emile Blanche pour son roman *Aymeris*, 1922, coll. de l'auteur, ADAGP, Paris 2001. **Page 19** : Photo coll. Viollet; Illustration de Bécan pour *Mes Mémoires* de Jane Avril, 1933, D.R. **Page 20** : Dessin de Steinlen, *Le Mirliton*, 17 février 1893, coll. de l'auteur; Tableau de A. Grass-Mick, musée Eugène Boudin, Honfleur, photo Archives de la Fondation Erik Satie. **Page 21** : Dessin de Roedel, *Le Courrier Français*, 21 mai 1893, coll. de l'auteur. **Page 22** : *La Môme Picrate*, couverture de J. Vély, Albin Michel, 1904; *La Môme Picrate*, illustrations d'Emmanuel Barcet, coll. « Le Roman Succès ». **Page 23** : Affiche de Toulouse-Lautrec, musée Toulouse-Lautrec, Albi; Photo BNF. **Page 24** : *Affiche avant la lettre*, 1896, musée Toulouse-Lautrec, Albi; Photo anonyme, BNF. **Page 25** : Dessin de A. Willette, *Le Courrier Français*, 22 novembre 1896, coll. de l'auteur; Affiche de Jules Chéret, *Le Courrier Français*, 18 octobre 1897, coll. de l'auteur, ADAGP, Paris 2001; Affiche de Grün, Photothèque Hachette, ADAGP, Paris 2001. **Page 26** : Photo E. Lagrange, coll. de l'auteur. **Page 27** : Affiche de Jules Chéret, *Le Courrier Français*, 17 septembre 1893; coll. de l'auteur, ADAGP, Paris 2001; Dessin de Steinlen, *Gil Blas*, 25 décembre 1892, coll. de l'auteur. **Page 28** : Dessin original de Maurice Biais, dédicacé à Georges Casella, rédacteur en chef de *Comœdia*, coll. de l'auteur; Dessins de Maurice

Biais, *Le Rire*, 1900. D.R. **Page 29** : Affiche de Maurice Biais, Musée de la Publicité, Paris. **Page 30** : *Paris-Midi*, lundi 7 août 1933, D.R. **Page 31** : Photos Lipnitzki-Viollet. **Page 32** : Affiche reproduite d'après le livre de Jose Shercliff; Affiche de Toulouse-Lautrec, musée Toulouse-Lautrec, Albi; signatures de Jane Avril, D.R.

Table

Impression réalisée sur CAMERON par
BRODARD ET TAUPIN
La Flèche

pour le compte des Éditions Fayard
en août 2001

35-57-1088-01/0

Dépôt légal : août 2001
N° d'édition : 15261 – N° d'impression : 9050
ISBN : 2-213-60888-1

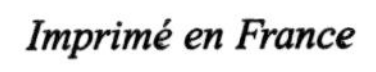
Imprimé en France